PLAISIR DES MÉTÉORES
OU
LE LIVRE DES DOUZE MOIS

Marie Gevers

PLAISIR
DES
MÉTÉORES
OU
LE LIVRE DES DOUZE MOIS

Préface de Lucienne Desnoues

Société de commercialisation des
Éditions Jacques Antoine

devenu Les Eperonniers s.p.r.l.

La collection *Passé Présent* est publiée avec l'aide de la Communauté française pour promouvoir son patrimoine littéraire.

Sur simple envoi de votre carte, nous vous tiendrons régulièrement au courant de nos publications.
S.P.R.L. Société de Commercialisation des Éditions Jacques Antoine,
57, rue des Éperonniers, 1000 Bruxelles.

Ce livre est dédié
aux habitants des contrées soumises au Gulf-stream.

« *La petite fille fut soumise à un étrange système d'instruction. Pour le français, sa mère lui dicta deux fois le Télémaque de bout en bout* », écrit, à propos de Marie Gevers, Paul Willems, son fils.

Cette jeune abeille laborieuse fut donc nourrie de gelée royale, puisque Fénelon écrivit son ouvrage pour l'élevage d'un prince du sang. Les parents inspirés qui soumirent leur enfant à ce traitement exceptionnel, ne la plongèrent pas que dans le souffle spirituel du Grand Siècle mais aussi dans ceux de la nature. Comme Colette à qui Sido offrait parfois, en récompense, l'aurore, permettant à la fillette, après une bonne action, d'aller se promener aux petites heures dans la campagne, Marie Gevers put fréquenter dès sa naissance, vite les reconnaître et les appeler par leurs noms ces potentats de l'air, les vents.

Splendeur du civilisé, splendeur de l'originel, les deux m'éblouissent ensemble lorsque je lis, à plusieurs reprises dans les Mémoires *de Saint-Simon, cette note sur Louis XIV :* « Il aimait l'air. » *Trois* « e » *ouverts écarquillent cette petite phrase comme une poitrine émerveillée. Le Roi-Soleil et son règne semblent s'illustrer, dans ces quatre syllabes, d'un haut fait supplémentaire, universel. Le verbe à l'imparfait y élonge le sentiment de pérennité et le mot* « air » *y gonfle celui d'infini.*

J'ai essayé d'analyser l'intensité poétique de phrases simples comme les suivantes, qui ne sont pas de Saint-Simon mais de Marie Gevers : « Nous sommes au début de l'année. L'air, que vous le touchiez du front, des mains ou des lèvres, a une qualité de nouveauté complète. » *O bien :* « Le vent s'éveille et court, dès six heures, au moment même où le soleil disparaît. » *Ces déclarations me tirent presque des larmes. Pourquoi? Parce qu'elles n'emploient pas le moindre « truc », ne déguisent pas d'intellect l'élémentaire. Il est là dans toute sa solennelle innocence. De plus, il est là chaque fois sous deux formes : celle du temps qui passe et celle du temps qu'il fait, ces jumeaux sur lesquels nous n'avons, malgré nos géantes techniques, pas le moindre pouvoir. Notre unique façon de les dominer? Le langage. Prononcer :* « Vers minuit, la lune commence à percer les nuées », *c'est tenir deux puissances divines, comme les deux paires d'ailes d'un papillon, en une seule pincée palpitante.*

Marie Gevers *aimait l'air comme aimait l'air un de ses plus chers amis, son aîné d'un an, Charles Vildrac, qui préfaça* La Comtesse des digues *et dut raffoler de* Plaisir des météores, *lui qui m'apprit l'existence d'une espèce d'alcool des espaces, l'ozone.* « Ça sent l'ozone! » *proclamait-il, la narine en extase, lorsqu'un jour particulièrement gai intensifiait dans la brise l'oxygène. L'ozone, on le sait mieux qu'alors, c'est de l'oxygène à la troisième puissance. L'exacte quantité qui s'en produit, cette ébriété de l'atmosphère qui, bien sûr, influence le temps, échappe encore aux investigations de nos observatoires, comme leur échappe la source des* « noyaux de condensation » *et bien d'autres mystères. Pourtant la science braque sur les météores des face-à-main terribles, installe autour de la Terre des satellites qui photographient les nuages. Le plus récent se nomme* Météosat. *Valsant à 36.000 kilomètres de haut, il nous renseigne sur les événements nébuleux qui nous guettent. Grâce à lui, à partir du printemps de 1978, les bulletins du ciel seront d'une précision jamais atteinte.*

Météosat *surpassera-t-il le flair des campagnards et cette connaissance née de guets pathétiques et de déductions millénaires, génitrice de tant de dictons? Oui si l'on en croit les totales erreurs dont on les voit régulièrement coupables, ces adages d'almanach; si j'en crois aussi l'anxieuse attention que les paysans de ma famille portaient au baromètre. L'index replié frappait au cadran. Nulle voix ne criait d'entrer. Le portail des*

10

dieux restait clos. *Seule une aiguille bleue répondait, souvent balbutiante, rarement péremptoire. Des baromètres enchantèrent mon enfance. Les voici retraités au musée du folklore. L'un ressemblait à une carte postale glacée. Un tendre paysage l'illustrait, dont la rivière, peinte en couleur impressionnable, se faisait rose ou bleue selon l'approche de la pluie ou la promesse du « beau fixe ». L'autre était une chaumière miniature à deux portes, habitée par un couple de paysans en bois. L'homme sortait pour prédire l'eau. C'était sa compagne qui franchissait le seuil lorsque le soleil s'annonçait. L'inventeur, galant, avait chargé, de l'oracle gai, la femme.*

Dans Plaisir des météores *je crois bien que le mot « baromètre » n'apparaît point. L'admirable femme, qui consacra aux atmosphériques passions ce livre passionné, eût mérité qu'en son honneur on intervertisse les rôles dans les allées et venues des époux barométriques, tant elle excelle à célébrer la pluie. Il est vrai qu'elle est d'un pays d'eau, presque côtier, d'une plaine d'estuaire où l'espace chante calmement le Requiem pour un fleuve. Son style a l'air de s'aligner sur l'horizon de son Escaut dont les anguilles, si souvent évoquées, paraissent également présentes par le seul glissando de certaines phrases.* (« Les entre-saisons, longues et fluides, se rejoignent à travers l'hiver et l'été. » « Le vent du dégel est d'une agilité inouïe. ») *Le pouvoir magique du Gulf Stream, cette chaude et gigantesque anguille semble agir ici autant sur la façon de décrire que sur les saisons décrites. L'astrologie prétend bien dénoncer le pouvoir, sur notre être profond et notre destinée, des constellations, puissances infiniment plus lointaines que les vents et les courants marins.*

« Plus vous les regarderez, plus il en viendra », *dit Marie Gevers des étoiles,* « et si vous persistez, elles vous attaqueront l'âme. » *Cette mise en garde contre un essaim cosmique fait penser à Pascal. Mais la frayeur qu'engendre chez celui-ci le silence éternel des espaces infinis, Marie Gevers ne la ressent pas. Le silence n'existe pas pour une ouïe telle que la sienne,*

11

toujours à épier, religieusement, le moindre frémissement de l'air et son retentissement sur la feuille ou l'oiseau, la moindre affinité entre Avril et le brochet, cet initié, qui « est à l'image de tout ce que le printemps a d'impitoyable et d'aigu : le vent d'est, la gelée blanche, l'acidité des sucs, la lutte sourde des racines, l'inquiétude des adolescentes, la cruauté des hommes et le tourment des femmes », *entre Novembre et le navet fourrager, cet arriéré, qui pousse dans les frimas, comme inconsidérément. Même l'inaudible elle le perçoit :* « on aime à s'imaginer que la pointe du roseau, en perçant l'eau, fait un bruit de fêlure. »

Plaisir des météores *est un livre de tranquille adoration dont la phrase la plus ardente est la dernière. Elle vient en postscriptum, comme si la signataire craignait d'être encore en reste d'amour après tant de pages :* « Commencé du plus loin qu'il m'en souvienne, écrit en 1938, sera continué toute ma vie. » *Passé, présent, avenir, tout d'elle se proclame engagé dans le culte de ces divinités farouches et envahissantes que sont l'aube, le solstice, la grêle, l'orage, l'arc-en-ciel qui* « s'élance, décrit sa courbe et vient toucher un point vital du paysage. »

Ce n'est pas une gageure littéraire mais visiblement un désir essentiel qui poussa notre romancière à concevoir un ouvrage dont les personnages majeurs sont ceux qui d'habitude n'assurent que le décor, le fond sonore. Ici l'ouragan, le gel ou « le beau mois de juin debout sur le sol du bois, cillant à sa propre lumière » *tiennent les rôles de premier plan. Les gens n'apparaissent qu'en second, silhouettes courbées sous Messidor, pêcheurs emmaillotés de brume. Et quelques brefs récits bien ronds, anecdotes humaines, historient cette chronique de l'inhumain.*

Je me souviens que les sauvages partenaires, tempête, brouillard d'Elseneur, foudre, touffeur magique des nuits d'été que Shakespeare adjoint aux acteurs dans son théâtre me l'ont fait admirer plus vite que Racine. Les dieux marmoréens d'Iphigénie attisent moins le drame que la bise où tournoient les sorcières de Macbeth. Marie Gevers a imaginé, elle, une distribution où les créatures ne sont que des comparses. Mais chez elle il ne s'agit pas de tragédie. Il s'agit de plaisir. *Ce que le temps qu'il fait, la respiration des mois, les violences ou les tendresses du climat excitent et nuancent en elle c'est un plaisir qui, le long de son âge, eut sur toute souffrance le dessus, c'est le plaisir de vivre.*

« *Comment expliquer cet émerveillement qui a duré 91 ans?* » *questionne son fils.*

« *Qu'y-a-t-il ce soir au programme?* » *ont aujourd'hui coutume de demander les téléspectateurs. Pour Marie Gevers il y avait Rigel et Bételgeuse, plus ou moins aiguisées selon que soufflait le Sud ou le Septentrion, il y avait le volubile mutisme des flocons ou le récital du rossignol, il y avait ce spectacle haletant brossé de main de maître:* « La lune de six heures paraît, elle ressemble à une meule, elle aiguise l'est. Le ciel s'ouvre, le vent jaillit des astres levants, il prend l'éclat des glaces, fige les sucs et les sèves; tous les parfums de germination se désagrègent, s'éventent, disparaissent et la nuit dressée à l'orient, tenant en main le vent d'est coupant et bleu, est plus froide que bien des nuits d'hiver. » *Il y avait aussi le rite,* « pour adoucir les moments inquiétants où le jour semble mourir... » *de faire brûler dans la maison neuf plantes magiques séchées en bouquet.*

Le petit écran devenu dieu lare a-t-il la moindre chance d'atteindre, dans le sacré, au même rang que la vitre du logis? Celle-ci ne donne pas sur les événements mondiaux ou sur l'imagination des artistes mais sur les états d'âme de l'éternel. C'est ce qui explique l'interminable sonorité de cette parole: « Alors un enfant va vers la fenêtre, soulève le rideau, et dit : « Il y a beaucoup d'étoiles. »

Gamine, j'éprouvais une joie vertigineuse à marcher en pantoufles sur le gel: l'intraitable Hiver m'admettait, si humblement chaussée, dans son palais. C'est cette gloire d'être une familière des plus barbares altesses qu'exprime, avec une royale modestie, Marie Gevers dans Plaisir des météores.

13

Je me suis promenée, un après-midi, avec elle, à Missembourg (domaine où elle naquit, vécut presqu'un siècle et mourut), dans l'incroyable odeur, si publiquement séminale des châtaigniers en floraison. Lui ai-je confié l'admirative envie que m'inspiraient l'unité de lieu de son destin, sa leçon d'univers dans un parc, son esprit fécondé chaque année par les mêmes très hauts pollens?

Lucienne Desnoues

PLAISIR DES MÉTÉORES

Notre climat est doux pour nos latitudes déjà hautes.

L'atmosphère chargée d'humidité, la réverbération des eaux et des nuées, l'échange continuel de brumes entre les nuages et le sol, le jeu versatile des vents, l'intensité verte et savoureuse des champs, des prés et des bois, et cette fraîcheur de jardin bien arrosé répandue sur nos pays, tout cela, nous le devons surtout au Gulf-stream.

Le souffle tiède du grand fleuve marin nous vaut aussi des neiges fragiles et passagères comme des floraisons, et des gelées aux yeux bleus, qui se rendorment bientôt dans un lit de buées. Les entre-saisons, longues et fluides, se rejoignent à travers l'hiver et l'été; la canicule n'a pas le temps de brûler la terre, mais nous enseigne pourtant le rayonnement de l'azur; janvier n'a jamais le pouvoir de durcir à mort les plantes et les arbres. La pluie, changeante et capricieuse, va de l'averse drue à la bruine dansante, de l'apaisement des longues ondées d'automne à l'énervement des giboulées.

Ainsi, des météores innocents jouent sous tous les soleils, se mêlent à toutes les lunaisons, et participent aux quatre saisons.

Les météores? On a pris l'habitude de ne nommer météores que les astres errants, les étoiles filantes ou la foudre. Or, tous les phénomènes qui se passent dans l'atmosphère répondent à ce beau nom. La grêle, le brouillard et les pétales de la rose des vents sont des météores, ainsi que le givre, le grésil et le dégel, l'arc-en-ciel et le halo lunaire, et aussi, les silencieux éclairs de chaleur où se libère l'angoisse des nuits de juillet; météores enfin le rougeoiement des couchants et les lueurs vertes de l'aube.

15

Ayant redonné leur véritable nom à tous ces demi-dieux ailés, qui obéissent au Temps-qu'il-fait ou servent le Gulf-stream, il faudra aussi que nous rendions à nos sens émoussés leur subtilité première. Dès lors, tous les plaisirs des météores nous deviendront accessibles.

JANVIER ET LA GLACE

On dirait que le mois de janvier considère les quelques jours de gelée qu'il nous doit comme une dette difficile à payer. Le vent erre entre l'ouest et le nord, les gouttes suspendues aux arbres hésitent à se figer. On s'attend à de la neige, à cause de l'air humide et glacial, mais une pluie ensorcelée s'obstine à cerner les maisons.

Un soir, enfin, quelqu'un rentre — peut-être est-ce l'écolier attardé chez un camarade, ou la fillette, sortie pour rappeler son chat vagabond, ou le maître du logis, sa besogne terminée — quelqu'un rentre en disant : « La pluie a cessé, le vent s'est mis au nord... » Les vêtements de celui qui parle ainsi exhalent déjà du froid, son visage est joyeux. Alors, un enfant va vers la fenêtre, soulève le rideau, et dit : « Il y a beaucoup d'étoiles ».

Des gouttes attardées sonnent pourtant encore dans les gouttières, mais chacun sait que les mains blanches de la gelée s'occuperont toute la nuit à suspendre de brillantes stalactites aux volets et au bord des toitures. L'écolier monte au grenier et, quand il redescend, un léger cliquetis d'acier accompagne ses pas. Le maître du logis sourit : « Le voilà qui prépare ses patins!

— Le froid persistera-t-il? demande la mère.

— A voir les étoiles, oui. »

Alors, tous deux se lèvent, ouvrent la porte et sortent, pour éprouver le Temps-qu'il-fait.

Silence. Sauf l'aboi d'un chien de ferme, sauf le lointain sifflement d'un train. Déjà, les sons intacts rebondissent dans l'air tendu. Mais le monde végétal dort. Il dort d'un sommeil complet. C'est pourquoi les étoiles semblent se familiariser, s'apprivoiser, se rapprocher. Il y a des vols d'étoiles posés dans les branches de tous les grands arbres; si nous allons en plein champs, nous les voyons s'abattre sur l'horizon même, et si nous passons dans une rue de village, nous les surprenons, jaillissant des cheminées, comme des étincelles.

Mais il semble qu'elles préfèrent les hêtres ou les ormes, et, si nous avons le courage de quitter la chambre tiède, la plus belle des promenades sera de suivre quelque avenue champêtre qui conduise à un lieu découvert. Les vols d'étoiles nous accompagneront de branche en branche et ce n'est qu'au moment où nous quitterons les arbres qu'elles regagneront l'espace. Le vent vient de l'étoile polaire et c'est lui qui attise toute cette palpitation rayonnante. Arrêtons-nous, et regardons.

Le ciel est plein de génies, de fées, de héros. Voici Orion, le chasseur gigantesque; Rigel et Bételgeuse, aux noms mystérieux et si froids, qu'on s'imagine l'une présidant au gel, et l'autre dirigeant les blancheurs neigeuses. Voici Cassiopée et les Pléiades, et l'immense traînée blanche de la Voie lactée, jaillie du sein de Junon...

Sommes-nous donc au début des temps?

Nous sommes au début de l'année. Tout est à reconquérir, à exiger, depuis les eaux du Verseau, jusqu'à l'abondance bleue et verte du solstice d'été; tout est à créer, car les dernières baies de houx et les derniers fruits de l'églantier sont la proie des oiseaux; tout est à obtenir, depuis la première pointe verte des perce-neige, jusqu'au mûrissement ultime des nèfles. Le monde, comme un lit vide et froid, attend toutes les conceptions et toutes les naissances. L'air, que vous le touchiez du front, des mains ou des lèvres, a une qualité de nouveauté complète. Ni semences voyageuses, ni pollens subtils, ni ailes invisibles. Rien que cet air qui s'appelle, en épaisseur, l'azur.

Pendant les nuits de gel, le ciel et la terre n'appartiennent qu'aux astres. Si vous regardez longtemps les étoiles, vous aurez bientôt l'impression qu'elles se mettent à foisonner, à descendre vers vous, et sur vous; elles sont trop nombreuses et vous accablent. Plus vous les regarderez, plus il en viendra, et si vous persistez, elles vous attaqueront l'âme.

Il est temps de les quitter. Elles vous reconduiront d'arbre en arbre, de toiture en toiture, jusque chez vous. Fermez bien la porte, tirez les volets, et confiez-vous à la chaleur du poêle, où s'évertuent des flammes asservies.

Il faut laisser le ciel gelé seul avec l'étendue de la terre, il faut qu'il la pénètre. C'est lui qu'elle attend pour accepter l'hiver, pour reconnaître que, vraiment, il est le maître.

Les champs n'y ont pas cru, tant que la pluie leur a transmis la chanson des nuages; quant aux espaces recouverts par les eaux, ils regardaient encore la lumière et se prêtaient aux baisers du vent. Une plante persistait même à verdoyer : le séneçon. Houppes de semences grises, petites fleurs jaunes, feuillage froncé et rebelle, il a refusé jusqu'à cette nuit d'admettre l'hiver. Seules, la glace et la neige pourront le soumettre.

Dès maintenant, la gelée ordonne, et tout obéira à l'hiver. Cette impression du règne de l'hiver, dès qu'il gèle, est si forte, qu'en langue flamande on nomme du même nom, un souverain et le gel [1].

J'ai souvent épié la gelée. J'aurais voulu surprendre, fût-ce la nuit, à l'aide d'une lanterne, comment elle s'y prend avec les mares, les fossés et les étangs. Elle y établit une nappe de glace épousant exactement la forme des bords, elle sertit jusqu'à chaque tige des roseaux morts, et jusqu'au plus infime brin de la plus légère des touffes d'herbes! La gelée a toujours gardé son secret. Une aube se lève, d'une couleur particulière, allant du jaune-soufre au vert émeraude, et, dès que je puis distinguer les

------

[1] Vorst.

choses, je vois l'œuvre du froid déjà terminée. Si le vent s'est mêlé de l'aider, la glace sera ridée, comme lui; si des nuages ont intercepté le regard des étoiles, l'œuvre est moins belle; si la neige s'avise d'intervenir, elle gâte la consistance cristalline de la glace. Mais, si ces hôtes nocturnes ont permis à la gelée de travailler à sa guise, tout sera parfait. Une large architecture d'aiguilles et de cristaux, à grands pans, à angles aigus, une matière sonnante et translucide, sous laquelle j'aperçois l'eau, avec ses plantes endormies.

Or, cette même gelée, qui créa sur l'étang de dures nappes géométriques, a ciselé sur mes fenêtres l'image blanche des plantes qu'elle vient d'emprisonner sous les eaux.

L'écolier aux patins n'a pas le temps de courir à la mare avant d'aller en classe, mais les joies de la gelée l'attendent aussi dans le chemin de traverse. Cette boue des champs, faite de bonne terre et de pluie, sans cesse malaxée et pétrie par les roues des charrettes et le pas des chevaux, la voici durcie. Le doux chemin d'alluvions semble taillé à même un roc couleur de chamois, et, là où luisaient des flaques d'eau, brillent des blocs de cristal ou des lames d'acier. Le talon de l'écolier a vite fait d'émietter les cristaux et d'ébrécher les couteaux... Mais où donc a fui l'eau qu'ils recouvraient? Disparue. Rentrée sous terre, comme les sèves, ou absorbée par le ciel, comme les buées errantes.

Cependant, l'azur quitte la teinte d'émeraude, pour s'éclairer de rose et de bleu pâle, et, au moment où l'écolier est happé par la porte du collège, le soleil émerge d'un horizon si net, que l'enfant croit entendre sonner de la glace et voir luire des patins.

Le vent du nord, qui l'avait conduit jusque-là, continue sa promenade dans les champs, atteint les étangs, rejoint la rivière. Il se mêle aux lumières répandues par l'aurore, il avive la rumeur serrée et stricte du froid. Qui donc chante ainsi dans l'immobilité gelée? Les roseaux secs et les feuilles mortes attachées aux chênes.

Le vent du nord dans les roseaux... Seigneur Hiver! si, un jour de neige, chaque flocon était muni d'élytres; si chaque cheveu de la brise émettait une minuscule étincelle électrique, ou si des chardons d'espace caressaient une soie d'azur, la rumeur en serait pareille.

Et si les milliers d'anges bleus de la gelée faisaient vibrer des milliers de petites castagnettes, on en confondrait le cliquetis avec celui des feuilles mortes dans les chênes!

Parfois, les feuilles tombées sur la glace s'ébranlent, toutes à la fois : le vent les transforme en traîneaux, qui frottent l'eau gelée et mêlent ainsi une troisième rumeur, plus soutenue, au frémissement des roseaux, et au claquement des chênes têtards.

A midi, l'enfant rejoindra le vent du nord au bord des étangs. Là, se tenant à l'aulne penché, il frappe, frappe du talon. L'enclume d'eau se fend, s'ouvre, l'enfant saisit un éclat de glace. Oh! verte, dure, cristalline et déjà épaisse, comme un cahier d'écolier... comme le livre de lecture... encore deux jours de gelée et la glace portera! Seigneur Hiver! que l'azur n'ait point de fêlure par où filtrent des moiteurs; que le vent du nord ne cède à aucun caprice de la lune; que l'ouest, au coucher du soleil, reste transparent, sonore et bleu! Seigneur Hiver! retiens même la neige bien-aimée, afin que toute cette eau de notre pays, qui, l'été, nous reçoit nageants, qui monte ou retombe en buées, s'ébroue en averses ou jaillit en ondées, afin que toute cette eau, soumise, lisse et glacée, reçoive la course ailée de nos patins!

...L'enfant ne formule pas toutes ces choses, mais les choses se formulent ainsi elles-mêmes autour de lui. Alors, la joie de l'hiver le saisit, une sorte d'exaltation particulière, où ses yeux brillent, où ses joues rougissent.

« Maman! maman! La glace portera jeudi! »

...Si l'aurore a conduit l'écolier, le crépuscule le ramène. Le ciel est plus dur encore qu'hier soir. Un croissant aiguisé se balance au fil d'un azur vert, et Vénus flotte à cette place exacte où la fuyante lumière du jour est rejointe par le bleuissement nocturne du ciel. Le paysage atteint la netteté de la gelée sans neige. Cette fois, l'herbe est vaincue et le séneçon se soumet. Comment donc est l'air dont on a soustrait toute buée? Il est bleu. D'un bleu qui pénètre les taillis, baigne les roseaux, glisse sur la glace, remonte, par les chemins, vers les villages, se mire dans les fenêtres, et, là-bas, au bout du champ, dessine en indigo, sur le couchant d'acier poli, chaque branche, chaque ramure de ces rangées de peupliers tendues entre le crépuscule et la nuit.

Puis, une obscurité transparente se répand, venant d'on ne sait où, puisque le ciel et la terre semblent émettre de la lumière...

Un enfant va vers la fenêtre, soulève le rideau et dit: « Comme il y a beaucoup d'étoiles! » La nuit se penche vers lui er promet aux écoliers leur jeudi de patinage.

Les roseaux secs ont déjà pris l'habitude de siffler dans le vent du nord, lorsqu'un beau midi, tout se tait. Les roseaux se redressent, hésitants; les feuilles mortes suspendues aux chênes cessent de s'agiter. Qu'y a-t-il, d'où vient cette détente soudaine? Le vent a gauchi vers l'ouest. Le miroir des étangs devient mat. Des doigts de tiédeur tracent une ligne sombre le long de leurs berges méridionales et posent des taches humides là où les racines rouges des aulnes raient la noirceur des limons. Quelques nuages blancs et légers montent du nord-ouest, le vent dévie encore, ses ailes s'arrondissent, et soudain, l'horizon déborde de lents nuages chargés d'une neige maladroite. Pour ne pas fondre dans l'air humide avant d'atteindre le sol encore gelé, des flocons s'agglomèrent et l'ouest précipite non des cristaux légers, comme ceux que nous offrirait un vent d'est, mais de gros duvets de poules. Il y en a tant, ils arrivent en telles masses que le Temps-qu'il-fait ne parvient pas à les fondre à mesure; ils s'entassent, s'amoncellent; bientôt, leur propre froidure surmonte le dégel et leur permet de subsister. On ne sait plus d'où vient le vent, parce qu'un grand tournoiement s'est emparé de l'espace, on ne sait plus si les nuages descendent vers nous ou si les arbres, les champs, les maisons du village montent, montent dans la danse des flocons. Ceux-ci semblent préférer certaines places, comme des branches de châtaigniers, sur lesquelles ils s'appliquent à se superposer en équilibre, ou comme les berges, à l'est de l'étang, ou bien le bord d'une gouttière, ou le pied d'un mur tourné vers l'ouest. Les uns choisissent pour s'y maintenir, une minuscule feuille de lierre, d'autres, une semence de graminée, près d'un roncier; les plus adroites parviennent à s'installer dans les cheveux qui ourlent les bonnets de laine des enfants jouant dans la neige... la neige sera bientôt pétrie en boules, dressée en bonshommes pansus, amassée en mottes et en gâteaux, car la neige d'ouest, docile aux jeux d'enfants, colle et s'agglomère sous les mains. Vers le soir, au moment où le dernier flocon se pose en équilibre sur la dernière cime de peuplier, le ciel transparaît, s'ouvre, et si quelque courant froid, rebondissant de l'est, se met à déblayer la nuit, la neige d'ouest admise par le gelée, durera.

On s'attendait à de la neige encore, à cause de ce halo irrisé hier soir, autour de la lune. Et voilà qu'au-dessus de la banquise de nuages, un souffle du sud a dû passer à angle droit. Le dégel ne montera pas lentement de terre, comme une buée, il tombera du ciel, tout rond, étonné et naïf, comme un demi-dieu enfant.

Il se pose avec une légèreté d'oiseau sur une branche de sapin appesantie par la neige. La neige choit et la branche, en se redressant, cause d'autres écroulements. Les gens qui habitent non loin d'une rivière ou d'un étang bordé de roseaux pourront alors entendre le frémissement des roseaux délivrés du fardeau qui les couchait sur la berge ou sur la glace.

Le parfum, l'admirable parfum du dégel nous vient de l'air, parce que la terre, sous la neige, ne peut livrer le sien. Mais la consistance de la neige change, dès que le vent chaud l'effleure. Est-ce le mouvement des branches et des roseaux qui a donné au vent l'idée de se mêler aux jeux de la neige et du dégel? Le voici, agile et joyeux; partout où ses pattes de velours se posent, le visage réel des choses reparaît, la féerie blanche s'efface, le rêve de cristal fuit avec les duvets glacés et les floraisons stériles.

Les taupinières perceront la face encore blanche des pelouses, puis le pied des murs reparaît, du côté méridional des maisons, découvrant du séneçon déjà dégagé et reconstitué; puis, le milieu des chemins se montre, là où passent les autos et les chariots... le vent court sur l'arête des toits, et aussitôt la couverture de neige glisse et engorge les gouttières. Le vent du dégel est d'une agilité inouïe : parfois, posé au sommet d'un grand arbre, il se laisse glisser du haut en bas, par le bout des branches, en entraînant d'un coup toute la neige; puis il galope sur la face supérieure d'un bois, cette face que lui seul peut reconnaître et parcourir. La pluie elle-même est impuissante à se maintenir sur cette étrange piste hérissée et vallonnée. Le jour du dégel, appelée par le vent, elle tentera l'aventure. Mais, tout de suite, elle tombera dans les intervalles, s'accrochera aux branches et dégoulinera jusqu'au tapis des feuilles mortes.

Le dégel a conduit ma cousine Élise au mariage.

Les jeunes filles des grands ports de mer épousent souvent des étrangers. Une circonstance fortuite amène vers elles quelque marin, courtier ou marchand. Elles se marient, partent, et, dans les contrées surprenantes où les mènent leurs époux, elles savent s'adapter à tout.

Même Élise, ce petit être lustré, doux, familier, timide comme une tourterelle apprivoisée; blottie auprès de ses parents, vite affarouchée, déployant une activité silencieuse à l'ombre de la maison, dans un ménage encombré d'enfants... Les dames amies blâmaient sa mère : « Si Amélie n'oblige pas Élise à sortir, à voir un peu de monde, cette enfant ne se mariera pas! » Bah!... pour Élise, la circonstance fortuite fut un dégel soudain. Elle s'est mariée à vingt ans, avec un grand diable d'Irlandais, capitaine de navire.

Comment une jeune fille douce, réservée, timide, sortant peu, a-t-elle fait la connaissance de cet Irlandais?

C'était pendant ce gros hiver 1928-29. Nous habitions la campagne... une maison dans un jardin, avec un étang vaseux pas très profond, mais plein d'anguilles. Aussitôt la glace prise, cousins et cousines munis de patins, affluèrent. Leurs ébats faisaient se sauver vers les bords les anguilles effrayées. Elles s'y glissaient entre glace et vase, et, pendant la nuit, la gelée les incorporait à cette glace sans cesse épaissie. On ne redoutait point de tout ce drame, car la neige, balayée de la patinoire, encombrait les bords et interceptait la vue.

Survient une ondée chaude et soudaine, le vent se met au sud, et les enfants s'en vont patauger sur la glace fondante. Bientôt, ils m'appellent à grands cris. Ils ont découvert une centaine de belles anguilles gelées.

« Vite, vite, les dégager, puis les préparer pendant qu'elles sont encore fraîches... » Rien n'est meilleur que la soupe à l'anguille, onctueuse de beurre, parfumée aux racines de persil.

Des voisins, munis de hachettes, accouraient, les éclats de glace volaient et l'on retirait une à une les anguilles frigorifiées.

Sur ces entrefaites, arrive Élise, munie de ses patins... Elle avait cru pouvoir patiner encore sur la glace fondante... « Je pensais, dit-elle, qu'il ne dégelait pas si fort... qu'il n'avait pas plu tant que cela... »

Elle restait là, debout, s'amusant à voir retirer les anguilles toutes raides, que l'on allongeait sur un lit de glace concassée... vertes, avec leur ventre jaune et blanc.

« En veux-tu, Élise? En veux-tu? nous les emballerons bien, tu les porteras à ta mère... Une douzaine, des plus belles. De quoi faire une fameuse soupe. Mais prépare-les ce soir-même, tu entends? Ne pas remettre à demain...

— Je m'en garderai bien. Papa adore les anguilles, je vais les emporter tout de suite. Le temps de les nettoyer, et de les faire tremper dans l'eau salée pour qu'elles perdent leur goût de vase... »

Voyez-vous cette Élise? Quelle bonne ménagère? Qui l'eût dit, en voyant ce petit visage rose et pur, ces yeux rêveurs, ces cheveux lustrés sous sa toque en loutre de lapin.

Voilà les anguilles bien enrobées dans de nombreux journaux, afin que la glu ne perce pas, ne tache pas le manteau de laine marron clair. Élise, munie de son gros paquet, s'en retourne vers la ville. D'abord un bout à pied; puis elle prendra le tramway; le trajet durera une demi-heure, elle descendra au coin de la rue où elle habite.

A quoi pense notre jeune fille, assise dans le véhicule qui part, s'arrête, prend quelques voyageurs ou les dépose sur la chaussée boueuse? Sans doute rêvasse-t-elle... Elle ne pense certainement pas à ses anguilles qu'elle serre distraitement contre elle. Elle ne voit pas non plus en face d'elle un monsieur qui la regarde et la trouve bien jolie...

Mais, qu'arrive-t-il? Quelque chose coule sur ses genoux, s'y agite : un animal gluant et rampant... un serpent... Hélas!... une anguille mal gelée, mal morte et réchauffée à la douce chaleur des bras d'Élise, s'est glissée hors de ses emballages.

Élise, la discrète, Élise la réservée, pousse un cri perçant et jette loin d'elle l'affreux paquet plein de choses maintenant grouillantes et vivantes... La ficelle glisse, les journaux se défont, et voilà le plancher du tramway plein d'anguilles qui se tortillent...

Les cinq ou six voyageurs s'esclaffent, le receveur rit aussi, puis déclare qu'il faut ramasser cela tout de suite... Il aiderait volontiers une si gentille demoiselle... mais... son service... voilà des gens qui montent, d'autres qui descendent.

Alors, un monsieur s'est levé. Il a tant bien que mal ramassé les anguilles, il les réintroduit dans le paquet entr'ouvert... Heureusement, elles sont encore un peu engourdies... Il roule les journaux, il tend le paquet à Élise... mais celle-ci a un tel mouvement d'horreur qu'il se met à rire et dit, en soulevant son chapeau, et avec un fort accent anglais : « Je me charge du paquet, et je vais vous reconduire chez vous, c'est moâ qui pôterai vos petits serpents... »

Élise l'a remercié gentiment, elle l'a fait entrer pour qu'il puisse laver ses mains toutes gluantes... Le monsieur s'excuse, se présente : « Je souis un tel... capitaine en second de tel steamer... » On l'a retenu pour manger de la soupe à l'anguille...

Dehors le dégel continuait à bruire, à pleuvoir et à rire dans les gouttières.

*
**

Je possède un livre du siècle passé, intitulé « Le Mémorial du Naturaliste et du Cultivateur ». Une main sage y a inscrit, en marge, beaucoup d'annotations. Nous y trouvons celle-ci : « 22 janvier, date normale des derniers grands froids. »

Et, si nous tournons la page, nous lirons encore ces mots si beaux : « Réveil des plantes, du 25 au 27 »... réveil des plantes?...

Or, pendant que, livre en main, nous y rêvons, un grand souffle froid envahit de nouveau l'espace. Le vent du nord fait vibrer toutes les cordes de l'air. L'azur est si tendu qu'il sonne, puis casse, et par la fêlure, une pluie glacée fuse violemment, couvre le sol de verglas, puis, rétablit la gelée.

L'AVENTURE
DES SEPT JOURS DE FÉVRIER

Si l'hiver n'est pas trop rigoureux, la gelée coulera pour de
bon dès la fin janvier. Alors, nous vérifierons un vieux dicton :
Février n'est jamais si dur ni si méchant, qu'il ne nous fasse don
de sept jours de printemps. Quoi? sept jours de printemps, au
mois de février? dans nos plaines flamandes, noyées d'humidité
froide? Oui. Oh! des signes presque imperceptibles — comme
ceux d'un ami agitant son mouchoir à la portière d'un express
vers le soir, en rase campagne — un éclair — mais on sait qu'il
est là, qu'il vit... ou comme une jeune fille, qui sourit mystérieuse-
ment, puis se perd dans la foule... ou une voix entendue le
soir, au moment où l'on se penche à sa fenêtre...

Souvent la pluie de la Chandeleur fait signe la première. Elle a
une vertu particulière : les gouttes répandues par le Verseau
s'amassent en grosses perles aux brins d'herbes jaunis, aux
écorces humides, aux branches, aux ramilles. Trop froides pour
tomber vite, elles restent suspendues, et prennent le temps de
mirer la lumière tardive et le ciel incertain. Tendez votre paume
droite sous l'une de ces étincelantes grappes d'eau, secouez de la
main gauche les ramilles d'un buisson. Ah! des gouttes se déta-
chent et tombent dans le creux de votre main... de l'eau de fin
d'hiver! Cette semence du printemps dans la paume, en sentez-
vous germer la fraîcheur? Un petit frisson montera le long des
veines du poignet et cheminera jusqu'au cœur.

Venez. Les perce-neige pointent sous les feuilles mortes du
bois. Penchez-vous : après l'eau nouvelle, c'est la terre nouvelle
que nous palperons. Soulevons les feuilles mortes blotties contre
le sol, écartons le terreau qu'elles couvent. La pluie a été plus

chaude que nous ne le pensions, car la terre sent. Enfermée depuis décembre, elle délivre une odeur à la fois acide et moisie. Salut, ô perce-neige! De petites lances vertes, fendues de blanc, traversent cet humus sombre, et même, à une place où des feuilles mortes, très légères, ont préservé une plante plus hardie, la tige se dégage, la petite aile monte, et au bout d'un frêle fil vert, se balance la fleur en bouton, délicat œuf blanc, déposé par cette première pluie bienveillante. Prenez le bout de la tige entre vos lèvres et cueillez du bout de la langue une saveur indéfinissable, un peu acidulée, un peu amère, timide et comme étonnée.

Le second signe giclera en terribles averses! Un grand balai de pluie, brandi par le vent, frotte les campagnes. C'est rêche et rigoureux comme une désinfection médicale. Que pas un coin ne reste entaché d'hiver! Une dure pluie du nord-ouest. Il n'y a même plus de nuages à regarder! Le ciel est la Pluie-même. Elle ravive les lichens aux troncs des arbres. Argentés aux châtaigniers; granuleux aux écorces prismatiques des acacias; enduit émeraudé aux hêtres lisses. Non, l'herbe ne reverdit pas encore, les brins tués par la gelée achèveront d'abord de pourrir. Cette pluie ne ressemble pas à celle de la Chandeleur. Alors, elle réveillait la clarté. Celle d'aujourd'hui nettoie, lave, prépare.

Entrons dans une étable. Devant la porte, le ruissellement du toit descend des tuiles en claquant sur le sol, et forme une rigole où des gouttes luisent comme des sous. La porte se referme sur nous, et nous voici dans la pénombre animale, parmi l'odeur du foin et des navets. Dans ce lieu clos, et fermé par la pluie enragée, l'atmosphère n'est plus la même qu'en hiver. Est-ce la buée humide de l'air, mêlée au souffle des vaches? Est-ce l'odeur des navets ensilés depuis tant de semaines? L'approche du printemps lustre-t-elle le flanc des bestiaux d'une nouvelle sueur, comme aux arbres paraissent les lichens revivifiés? Nous ne savons, mais le second jour de printemps offert par février, est vraiment arrivé. La chatte ne s'y trompe pas. Son échine frémit, elle sort, rampe dans la pluie, et se glisse sous une haie d'ifs ou bien dans ce buisson de houx, dont les odeurs àmères, excitées par l'averse, la mettent en folie.

*
**

Le troisième jour de printemps de notre dicton s'ouvre dans le sillage du vent du sud, parmi les ormes. Personne n'avait pensé aux ormes, ni à leurs fleurs aux tons de nuées imbibées d'aubes. Soudain, vous apercevez le vent du sud balancé par les petites branches, très haut parmi ces fleurs de pluie mêlées au ciel voilé de buée. La tiède haleine du sud a terni le miroir d'azur matinal, le souffle chaud a humecté le sol; et les miracles primordiaux se sont réveillés. Le plus beau de tous est l'odeur de la terre. On a labouré les champs d'où les betteraves et les navets ont été tirés... notre sol n'a pas une pierre, pas un gravier, et le moindre mouvement penchant s'achève dans l'eau d'une mare ou d'un fossé collectionneur d'averses. Aussi la charrue fend-elle une terre magnifique, agglomérée en larges écailles humides, et chaque sillon s'allonge, comme un reptile dompté.

Une odeur musquée monte et flotte, recueillie par ce vent du sud. Il l'utilise, la dissémine, la glisse dans les jardins, sur les chemins qui mènent aux villes, et parfois même la pose, comme un anneau mouillé, autour des cités. Nous, dans les campagnes, nous respirons dès le matin cette mystérieuse tiédeur. Mais qu'est l'amour sans le toucher? Cette fois, nous ne saisirons pas des gouttes d'eau par leurs ailes lucides; nous ne porterons pas à nos lèvres l'acidité d'une perce-neige nouvelle; mais nous pétrirons dans notre main un peu de cette terre odorante que l'on vient d'ouvrir et dont le vent du sud complice nous livre le secret. Elle est brune, couleur de la croupe des chevaux de labour, froide encore d'hiver, et, si elle sèche à nos doigts, elle

31

les voilera comme cette haleine du sud a terni le miroir du ciel matinal.

Alors, nous capterons les sons inouïs de ce troisième jour de printemps. Le merle a perçu la tiédeur du sud. Il a attendu le crépuscule, pour être sûr. Il lève la tête et pointe son bec... Droit vers le ciel? Non. Son bec s'incline au même degré que le globe terrestre dans les ciels astronomiques, et il entonne le chant du printemps pour encourager la terre dans son voyage vers l'équinoxe.

Peut-être que toute une semaine séparera le quatrième jour de printemps du troisième! et peut-être aussi surviendra-t-il le lendemain de l'aventure du merle, mais jamais un tiède vent du sud n'est perdu pour les eaux dormantes. Elles l'ont recueilli, et il y accomplit un grand travail. La froidure de l'eau fige encore la vie des insectes : larves, œufs ou cocons, dorment logés parmi les racines rouges des aulnes, blottis dans les boues, dans les morceaux de bois pourris, ou dans l'éteule des roseaux coupés, mais ces roseaux pointent déjà des pousses neuves, aiguës comme les flèches. Les nénuphars bougent aussi sous la vase. Leurs grosses racines, qui ressemblent à des ananas, se gonflent de suc, s'emplissent de mouillure et préparent le jet rouge de leurs pousses. Le travail de la nouvelle tiédeur amènera les eaux dormantes à cet exact degré de chaleur où une impalpable végétation verte trouble et brouille leur clarté, où une buée de vie les envahit.

Vous puisez l'eau dans votre main? Elle paraît aussi claire qu'avant. Mais vous la regardez en épaisseur, ou en profondeur? Elle est voilée, gonflée, lourde de germination, verte, ayant tout oublié de la cristallisation des neiges et de la rigidité des glaces.

Que fera le cinquième jour? Il appartient à la grive et au bleuissement des bois. Un voile de rosée descend le matin, puis le soleil visite pour la première fois les troncs chargés de lichen et d'humidité. Il est rose, si oblique encore, que, dans l'air lavé, cette clarté à la fois pure, déjà colorée et si horizontale, surprend les yeux. Vers onze heures, un peu de vraie chaleur survient, hésite, cherche les endroits abrités par le vent et s'étend voluptueusement au soleil. S'asseoir alors, oh! s'asseoir alors à la lisière d'un boqueteau ou même devant le mur méridional d'une maison... La grive n'a pas l'autorité du merle, ni cette netteté de lignes qui dessine des modulations précises, mais la grive exulte et balbutie de joie. Rien, dans les champs, dans les jardins, dans les arbres, n'ose bouger, de peur d'effaroucher le soleil timide, la tiédeur craintive, l'oiseau mal rassuré. L'enchantement dure jusqu'au tournant de l'après-midi. Alors, un sapin engourdi d'immobilité se détend et agite ses branches; ou bien un grand hêtre relève la tête... Le charme se rompt. Une fêlure court, par où s'insinue un froid courant d'air, qui fait tomber le soleil, se sauver la tiédeur, se taire la grive.

De ce long miracle immobile, une couleur bleue reste et se répand des taillis dans l'épaisseur des branches. La couleur des arbres sans feuilles a vraiment changé aujourd'hui. Les écorces reluisent. On dirait que ces quelques heures de douceur les ont frottées d'encaustique. Mais nous savons que la sève s'est remise en mouvement. Elle a glissé entre l'aubier et l'écorce, elle a gagné les branches, les ramures, les ramilles; elle s'est arrêtée au seuil de chaque bourgeon : pour ceux-ci, l'heure n'est pas venue. Mais le bois, cette matière sourde, qui refuse de conduire les fluides électriques, le bois, mat et fibreux, se remplit du courant des sèves. C'est pourquoi les arbres et les taillis bleuissent.

*
**

33

Vers la fin de février, les chatons dansent pour le sixième jour de printemps. Il survient parfois après une froide période toute enclose de nuages. Le vent d'ouest erre de l'autre côté de cette barrière noire, comme une carpe derrière une vanne fermée. Mais un soir, l'épaule du soleil soulève un peu la porte des nuées et des clartés rouges s'y glissent. Puis, les nuages retombent lourdement. Pourtant l'ébranlement a déplacé les vannes, le vent se faufile et le voici libre, entre la terre de février et les nuages que, toute la nuit, il s'occupe à désagréger. A l'aube, le soleil cinglera dans un ciel houleux, laissant un sillage de nuages cassés. C'est alors que commence la danse des chatons.

Ceux des bouleaux, par couples, obéissent aux courants nouveaux avec toutes les dentelles de leurs branches dociles. Ceux des aulnes, durs et sans imagination, s'orientent, puis, s'ébranlent. Ils seront longs à se défaire en chenilles duveteuses! Ceux des saules, doux-d'argent dès leur naissance, n'ont qu'à grandir dans leur rêve de Pâques... Et les chatons des coudriers savent enfin qu'ils appartiennent à un arbre-fée. La branche à laquelle ils se balancent peut découvrir les eaux souterraines, les métaux enfouis et les trésors cachés. Ils dansent tout autour d'un gros bourgeon qui, fendu, dépliera non une feuille, mais la fleur femelle, cette minuscule étincelle rouge dont il n'y en a qu'une seule pour cent chatons échevelés!

Après le verdissement des eaux et le bleuissement des bois; après la danse d'amour des chatons, l'herbe va renaître. Le septième signe du printemps sera son changement de couleur et de parfum : pourriture des touffes mortes, vigueur des brins nouveaux.

Dès le matin on peut deviner cela à l'allure du vent d'ouest. Il ne passe pas au ras du sol, horizontal et pesant d'humidité; il ne s'envole pas dans une tiédeur de duvet, entre arbres et nuages;

mais il avance pas à pas, il appuie ses talons au sol mou, environné de moineaux et de pinsons, penché, comme le semeur ou le laboureur, oblique comme le bec du merle qui chante.

Il chemine ainsi tout le jour, minutieusement, de prairies en pâturages, de lisières en chemins ourlés d'herbes; il emporte tout ce parfum de germination, il ne se couche qu'après s'être enfermé dans une nuit sans lune et close par de lourds nuages.

Pour la première fois, l'un des sept signes de février dépasse la clarté du jour, et vient habiter les ténèbres. C'est un moment unique dans l'année! Sortons, sortons, au loin, parmi les champs et les chemins, dans la nuit sourde. Le courant des rumeurs nocturnes est arrêté : ni vent qui l'entraîne, ni feuilles qui le multiplient, ni branchages qui le filtrent. L'air n'est plus assez froid pour précipiter l'humidité en gouttes claquantes, l'espace n'est pas encore assez tiède pour nourrir la vie nocturne des insectes ou des oiseaux.

Comblée par ce magnifique parfum de l'herbe, la nuit est unie, égale, nivelée et nous voudrions être aveugles et sourds, comme elle, pour mieux sentir. Or, notre odorat percevra difficilement ce parfum, parce qu'il est sans zones, sans contrastes, sans hauts ni bas, sans ondulations, sans marées.

Mais nous humecterons nos lèvres et elles se sentiront touchées par cette odeur de vie, car le printemps équitable l'abandonne également aux nuages, à l'air, aux bois envahis de sève, aux eaux chargées de verdure, et aux bouches humaines gonflées d'amour.

MARS, ET L'ÉQUINOXE DU PRINTEMPS

L'espace n'oubliera pas ce septième signe de février. Des gelées tardives auront beau roussir la lune, le vent d'est aura beau s'affiler comme une faux, la nuit ne sera plus jamais vide d'aromes. Si une grosse brise dégage le ciel bien lavé par le Verseau, mars pourra travailler, activer les sèves, et se préparer à l'équinoxe du printemps. Dès le début du mois, le soleil renouvelé monte et s'établit. Il luttera d'adresse avec les vents froids, les courants durs, les lunes gelées. Le plus beau, le plus jeune des soleils entreprend des journées à la fois chaudes et glacées. Marchez-vous le long d'un taillis? La tiédeur vous caressera, mais à la place où le chemin tourne, vous serez assailli par un paquet de vent aussi froid que s'il venait de passer la nuit sur la banquise.

Regardez le ciel, de gros nuages ronds montent du nord-ouest et prennent de biais, violemment, notre soleil, qui vogue vers l'ouest, au large d'un azur tout neuf. Il tangue et lutte à travers la houle des nuages, tantôt dessus, tantôt dessous. Parfois, ils déferlent sur lui, il plonge... Ah! il est bien long à émerger... Une crainte vous prend qu'il ne soit englouti, mais entre deux lames fumeuses, il reparaîtra, plus vif encore, plus frais, plus blanc, plus vibrant.

Parfois un nuage vaste comme un continent le dérobe à nos regards, un nuage avec des côtes découpées, des fleuves lumineux, de tumultueuses volutes noires, des falaises à pic sur l'azur... Le soleil finira par doubler ce continent en dérive, il vogue, il vogue. Au moment où il va dépasser la grande masse sombre, il s'annonce par une auréole de gloire. De grands rayons d'ombres tracent dans l'azur une gamme de bleus éblouissants.

Le soleil vaincra donc l'immense nuage, mais quelles îles, quels récifs rencontrera-t-il encore dans sa course vers le golfe du couchant? Le verrons-nous atteindre son but à pleine voilure et disparaître dans un horizon débarrassé, pacifié? Ou bien faudra-t-il qu'il se faufile dans un dangereux labyrinthe de brisants couverts d'écume rouge et mauve?

Le plus grand risque du soleil de mars est la rencontre de vastes giboulées détachées de quelque banquise. Il finit toujours par y être englouti. Mais d'abord, les rayons réverbérés par cet écran noir caresseront avec amour tous les objets. Les prés, d'émeraudes, deviennent presque bleus; le toit de tuile rutile, les peupliers encore dépourvus de feuilles prennent la couleur bise, l'aspect luisant des écheveaux de lin, et, pour nous rassurer avant le naufrage du soleil, quelques pigeons violemment éclairés passent comme des rires ou des perles sur le fond de nuées noires. Mais l'azur usera tous les nuages. La lune de six heures paraît, elle ressemble à une meule, elle aiguise l'est. Le ciel s'ouvre, le vent jaillit des astres levants, il prend l'éclat des glaces, fige les sucs et les sèves. Tous les parfums de germination se désagrègent, s'éventent, disparaissent, et la nuit dressée à l'orient, tenant en main le vent d'est coupant et bleu, est plus froide que bien des nuits d'hiver.

Un tel vent d'est a joué un mauvais tour à mon voisin, Verdonck.

Le pré, bousculé depuis l'automne par les groins des truies et

38

de leurs nichées, devait être aplani, hersé, remis en état pour la
pâture des vaches, au printemps. Pas un jour à perdre, car si les
pluies recommençaient, la herse s'enfoncerait, freinant à bloc
dans un sol mou. Il faut s'y mettre dès aujourd'hui, avant que le
dur vent d'est ne s'accumule en nuages et ne s'écroule en giboulées. Mais d'abord, parquer les truies reproductrices dans un
coin du pré, près de leur étable.

Blond, vigoureux, pansu, maître Pétrus Verdonck sue depuis
le matin à enfoncer de solides pieux qui soutiendront une palis-
sade. Les truies sont des bêtes puissantes qui détruisent et ren-
versent tout... Armand, le valet, tient le pieu, Verdonck tape à
grands coups de maillet, le vent d'est court à toute vitesse sur les
champs, bondit par-dessus les maisons, s'enroule dans la fumée
des cheminées, et retombe, froid comme glace, sur le dos de
Pétrus Verdonck. Jamais le fermier n'a fait attention à chaud ni
froid... Pourquoi un dicton de sa grand'mère revient-il dans sa
mémoire? « Le vilain vent d'est a tué maint bel enfant... » Cette
nuit-là, déjà, il avait eu le cauchemar, suant, puis frissonnant...
et ce matin, le lard frit ne lui plaisait pas comme d'habitude... Il
cesse de taper, pose son maillet et dit à Armand : « Garçon,
chaud et froid, c'est dangereux. Je rentre pour boire un coup de
café. »

Armand le regarde, trop stupéfait pour répondre, il reste là un
moment à remuer les outils, puis, à pas lents, se dirige aussi vers
la ferme en murmurant un juron.

Régina Verdonck, de l'étable, voit revenir son mari. « Il aura
oublié sa pince », se dit-elle... Il l'appelle de la salle : « Régina!
du café chaud! » Le voilà qui boit, mais le liquide brûlant
pénètre dans sa bouche, passe par son gosier et descend dans
son estomac comme si c'était dans le corps d'un autre. L'agréa-
ble chaleur ne se répand pas en lui. Son dos reste froid, son
front, gelé, ses joues, tremblantes.

« C'est la grippe! dit Mme Verdonck, Marie Verheecke l'a, et
Jules de la boutique, et Barbara Schul aussi.

— C'est la grippe... » répond vaguement maître Verdonck...

Mais une pensée affolée commence à marteler son cerveau :
« C'est la pneumonie du vent d'est... la pneumonie... la pneu... »

« Mets-toi au lit, conseille Régina, et, en le voyant s'appuyer
au dossier de sa chaise, les yeux fermés, elle ajoute lourdement :
Ah! avec ce mauvais vent... pourvu que ce ne soit pas la pneumonie, comme Charles du café des Sports, l'année passée... je ne
désire pas du tout te voir au cimetière!

— Tais-toi et fais du feu dans la chambre... » grogne Verdonck envahi par un grand malaise fade.

Du feu dans la chambre! cela n'est jamais arrivé... un poêle
comme ornement luxueux à la vente de la vieille demoiselle
Bœlens... il va fumer et fumer! Eh bien, non. Après quelques
grosses bouffées rondes, pour lesquelles elle ouvre porte et
fenêtre, le vent d'est s'installe sur la cheminée et tire toute la
fumée à lui. Le poêle ronfle, la fonte rougit. Voilà maître Verdonck au lit, la tête bourdonnante, des coulées de petits frissons
dans le dos, les bras et les jambes de coton, et la gorge en feu.

Sa femme le regarde consternée. Grippe ou pneumonie?
Pourtant, une idée monte de son bon cœur à sa lente cervelle :
— Le thermomètre de la rougeole des enfants...

Au printemps de l'an passé, les enfants avaient pris tous les
quatre à la fois une grosse rougeole.

« Ce n'est rien, dit le médecin, appelé parce que l'un d'eux
délirait la nuit, ce n'est rien... Mais gardez-les bien au chaud. Je
prescrirai une potion et vous achèterez aussi un thermomètre
pour la fièvre, chez le pharmacien... oui, cela coûte assez cher...
mais sinon je reviendrai chaque jour. Si vous mesurez la fièvre,
je ne reviendrai qu'une fois dans huit jours. »

Et il avait patiemment montré à Mme Verdonck, très émue,
comment placer le thermomètre sous le bras du malade, comment constater le nombre de degrés, puis comment faire baisser
le mercure avant de le remettre sous le bras d'un autre malade.

« Si l'un des petits atteint 40°, conclut-il, il faut m'appeler
tout de suite. Sinon, il y aurait danger de mort. »

Tout se passa très bien; une ou deux fois 39°; puis 38°, 37°8...

Au bout d'une semaine, le docteur revint et trouva les enfants guéris. Il ne compta que deux visites.

« Maintenant, vous connaissez cela, madame Verdonck! Si jamais l'un des vôtres dépasse 40°, venez me chercher. »

Le thermomètre! Le mot et l'action finirent par se rejoindre dans le cerveau de Régina. Elle prit l'objet dans une boîte, sur la cheminée, où elle le serrait soigneusement, avec les chapelets et les livres de messe.

Le malade la suivait d'un œil inquiet. Maintenant, les actes de sa femme soulignaient la gravité de sa maladie... Elle lui déboutonna sa chemise et glissa le thermomètre sous l'aisselle brûlante.

« Tant qu'on n'a pas 40° de fièvre, dit-elle d'un ton péremptoire, ce n'est pas la peine d'appeler le médecin. Mais, si on dépasse 40°, c'est signe de mort. Il faut attendre cinq minutes avant de savoir. »

Elle resta debout, les bras croisés. Après cinq minutes d'angoisse, elle reprit le thermomètre, car il n'osait toucher, de ses doigts puissants, un objet aussi fragile et aussi cher.

Elle s'approcha de la fenêtre par où le vent d'est montrait le visage brillant d'un ciel à aigrettes de soleil. Elle crut avoir mal vu. Elle frotta du doigt le tube en verre, regarda mieux encore : hélas! il fallait bien convenir... Il indiquait 41° de fièvre. La bonne femme, éperdue, ne pensa même pas à cacher la cruelle vérité au malade.

« 41°! dit-elle, d'une voix étranglée.

— Quoi? dit maître Verdonck à demi soulevé sur son oreiller.

— 41°! répétait-elle.

— Alors, balbutia-t-il, c'est la pneumonie... Le vent d'est m'a tué, comme tant d'autres... Envoie chez le curé, d'abord, puis chez le médecin. »

Dans la tête en feu du malade, l'idée se précisait. Il allait mourir... Le curé, oui, le curé d'abord... Il y avait l'histoire de cette petite servante... et puis, ce témoignage...

Régina entra dans la salle. Armand, revenu du pré, était là, les bras ballants, le long de son corps maigre et musculeux et plus grand d'être si immobile.

« Quoi? dit-il.

— Il va mourir... La pneumonie du vent d'est. Mets tes souliers et cours! D'abord chez le curé; puis, chez le docteur... Tu diras, retiens-le bien, tu diras : « Venez vite, Pétrus Verdonck a 41° de fièvre et la pneumonie... »

Le valet fila.

*
**

« Quoi? Quoi? s'exclama le curé, 41°? Qui dit cela?

— Le thermomètre, répond Armand, la Régina en a un et s'y connaît, depuis la rougeole des gosses. »

Et le curé d'enfiler son pardessus et de courir.

Mais le docteur était sorti : « Vite, expliquait Armand, hors d'haleine, à la femme du docteur. Vite... où est-il, le docteur? Pétrus Verdonck a 41° de fièvre et la pneumonie. Le vent d'est l'a gelé, ce matin... »

La dame se récrie : « 41°! ah! oui. Alors c'est grave. Le docteur va rentrer, heureusement. Mais a-t-on bien mesuré?

— Ah! la Régina s'y connaît, depuis la rougeole des enfants! »

En sortant précipitamment de chez le docteur, Armand se trouve nez à nez avec le facteur :

« Où cours-tu comme un rat empoisonné?

— Pétrus Verdonck a la pneumonie du vent d'est. Il a 41° de fièvre. Il va mourir. A l'heure qu'il est, il se confesse...

Le facteur ricane : Verdonck va mourir? Alors, après le curé et le médecin, va aussi chez ton tailleur, et commande-lui ton costume de mariage...

— Mon... costume de mariage?

Maintenant, le facteur rit aux éclats.

C'est un bon gros, qu'on appelle « Le limaçon » :

— Oui, ton costume de mariage, car tu épouseras la veuve,

mon vieux! Une ferme de douze vaches, et de sept hectares; tu crois qu'une femme seule pourra maîtriser cela? Dans ces cas-là, c'est toujours le valet, qui connaît les bêtes et les terres, qui remplace le patron défunt... »

Limaçon continue sa tournée; Armand ne court plus. Il avance lentement, lentement. Réfléchir en marchant vite? Impossible. Les paroles du facteur, c'est comme l'allumette au poêle de la chambre, ce matin. D'abord de grosses bouffées de fumée, et on n'y voit plus clair. Puis, un courant attise les flammes, un dur vent d'est d'espoirs et d'ambitions, puis une chaleur délicieuse rayonne... Quoi? épouser cette belle, grosse Régina? Posséder, avec elle, douze vaches, six truies reproductrices, deux chevaux de labour, sept hectares de terres et prés?

Quand Armand arrive à la ferme, son visage reluit d'espoir et de sueur, des gouttes lui perlent aux tempes et toujours ce vent d'est vient les lui cueillir de ses doigts de glace... Dans la cour, les quatre enfants Verdonck, rentrés de l'école, jouent sur une charrette vide, l'escaladent, se bousculent et sautent à grands cris... Régina montre sa figure bouleversée, à la porte de la maison, et dit :

« Le curé est déjà là. Fais donc taire les enfants, Armand. Ce n'est pas permis de jouer et de rire ainsi, quand leur père est presque mort! »

C'était vrai, tout de même... et Armand, en réponse à son propre remords de se réjouir dès maintenant du veuvage de Régina, interpelle les gamins d'une voix furieuse et distribue des claques, jusqu'à ce que les pleurs et les hurlements remplacent les cris de joie.

Puis, il rentre à la cuisine et debout, interdit, devant Régina qui pleure, effondrée sur une chaise, il laisse monter en lui la marée de l'espoir. De temps en temps, la fenêtre grelotte, fouettée par le vent d'est.

Cependant, Pétrus Verdonck se débattait dans une difficile confession. Cette histoire de la fille de ferme, et ce faux serment dans une affaire de lait falsifié. Bien sûr, on ne se trahit pas, entre laitiers... Mais enfin, il avait levé la main et dit : « Ainsi m'aident Dieu et tous les saints... ».

« Je me repens de tous mes péchés, répétait-il, mais je suis trop mal pour tout expliquer, monsieur le curé... Pensez, 41° de fièvre, et la pneumonie du vent d'est... »

Mais le curé tenait bon... et puis, on avait soudain entendu l'apostrophe furieuse d'Armand aux gosses, dans la cour : « Vous n'avez pas honte de jouer comme des chiens, quand votre père va mourir... Silence... » Alors le pauvre Verdonck, terrifié, comprit qu'il fallait bien tout dire...

Le curé sortit de la chambre et dit : « Vous pouvez retourner auprès du malade, madame Verdonck... A mon idée, et, sans être médecin, je m'y connais un peu, il n'est pas en danger et il n'a déjà plus 41°, s'il les a eus !... Demandez au docteur s'il le croit assez malade pour recevoir l'extrême-onction, et, en ce cas, envoyez-moi Armand... Oui, madame Verdonck, pour moi, c'est une fausse alerte. »

L'étincelante marée de joie, dans le cœur d'Armand reçoit comme une giffle glacée de vent d'est. Cela se brouille, se ride, éclabousse toutes les belles espérances brillantes ! Régina... douze vaches. Certes, il ne souhaite pas la mort de son patron, mais enfin...

*
* *

Malgré les paroles rassurantes du curé, ils étaient là, dans l'anxieuse attente du docteur. Le malade, fou de peur, avait le cerveau martelé par le vieux proverbe : « Ce vilain vent a tué... à tué... » Régina coupa quelques tartines et réchauffa des pommes de terre pour les enfants. Et parfois, elle entrait dans la chambre et disait quelques paroles de consolation qui affolaient davantage le patient. Par exemple : « Je ne renoncerai pas facilement à toi... » ou bien : « Non, non, je n'avertis pas encore le fossoyeur... » ou bien : « Faudra-t-il vendre le vieux cheval, à l'automne, comme tu pensais?... »

« 41°? Vous êtes certaine? dit le docteur en entrant.

— Oui, monsieur le docteur, dit-elle en lui montrant le thermomètre, voyez vous-même. »

Le docteur regarda l'instrument : oui, la colonne de mercure était intacte et montrait 41°.

Après un rapide examen du malade, le docteur tira de sa poche son propre thermomètre. Et les cinq minutes d'angoisse passèrent silencieusement. On entendait seulement les sabots d'Armand. Cette fois, il n'attendait plus, immobile et les bras ballants... Il se promenait fiévreusement de long en large, dans la cuisine.

« Quelle est toute cette histoire, Verdonck, s'écria le docteur, mi-furieux, mi-amusé, en regardant le thermomètre. Vous n'avez que 38°5 et une bonne grippe toute ordinaire... »

Verdonck, déjà ressuscité, se redressait dans son lit. Mais Régina s'assit, les jambes coupées d'émotion. Dans la cour, les enfants sanglotaient toujours bruyamment.

Le docteur, intrigué, examinait le thermomètre de Régina.

« Où mettez-vous ce thermomètre? dit-il.

— Personne n'y touche jamais, monsieur le docteur. Quand les enfants ont été guéris, je l'ai soigneusement mis dans cette boîte-là, sur la cheminée.

— Et le poêle, dit le docteur, l'avez-vous allumé ce matin?

— Ah! oui, même qu'avec ce vent d'est, il a rougi en un rien de temps...

Le docteur se leva et posa la main sur l'étroite tablette de marbre de la cheminée :

— Brûlante, dit-il... Eh bien, madame Verdonck, votre thermomètre a pris la température de la cheminée. Et il marquait 41° avant de le mettre sous le bras du malade... Il faut toujours

45

regarder d'abord... Vous ne feriez pas un bon médecin, madame Verdonck...

— Ah! Seigneur! s'écria Régina, ces thermomètres-là montent-ils donc aussi à la chaleur d'un feu? Je croyais qu'ils étaient fabriqués exprès pour mesurer les fièvres... »

Ils parlaient haut... Le pauvre Armand, de la cuisine, avait déjà compris que Régina ne serait pas veuve. Il s'approcha de la table et, comme le repas était en retard, il se coupa une grosse tartine.

On était au samedi. Régina, à la sortie de la messe, le lendemain, dut démentir cinquante fois la mort de Pétrus Verdonck, et raconter cinquante fois l'histoire du thermomètre.

Et pendant qu'elle parlait, le vent d'est continuait ses folies. Il montait au clocher, chatouillait le coq, soufflait sur les cloches, et s'éparpillait, étincelant de malice et de froid, parmi les groupes de commères.

*
**

Perle fine! Chérie de la Vierge! Aimée de Pâques! Beauté perpétuelle! Duvet blanc! Œil du jour!

On l'appelle de partout, et la petite marguerite quittant courageusement son sommeil d'hiver, paraît dans les gazons, sur les talus ou même entre deux pavés.

En bouton, elle ressemble à une perle. Aussi dès le moyen âge, trouvères et troubadours la baptisèrent-ils : marguerite, puisque margarita veut dire, en latin, perle.

Mais, trop jolie pour n'avoir qu'un nom, on l'appelle aussi pâquerette, car elle fleurit à Pâques. Ainsi, au pays de Liège, dit-on *Pâquettes,* aux petites filles qui font leur première communion et qui passent, toutes blanches, par les chemins d'avril.

Bientôt, au soleil plus chaud, les pétales, autour du cœur d'or, rosiront. Des légendes sont nées de cette tendre coloration : Notre-Dame sourit en regardant la pâquerette, qui en rougit de

46

joie! Les Flamands nomment la pâquerette : chérie-de-la-Vierge.

Le latin scientifique, qui donne aux fleurs leurs appellations botaniques s'attendrit pour celle-ci, et lui dit : « *Bellis perennis* », Belle perpétuelle. Les Anglais lui ont trouvé un nom plus doux encore : *daisy* a pour origine deux mots qui signifient : « œil-du-jour ». Mary Webb, dans un poème aux fleurs, chante « l'œil-du-jour aux longs cils ». En Allemagne, ces petits troupeaux blancs dans les prairies font nommer les marguerites « fleurs-des-oies ». D'ailleurs, pour la grande marguerite, le grec leur donne raison : *leucanthemum*, cela veut dire à peu près : « La blanche ».

Salut, perle fine, chérie-de-la-Vierge, aimée-de-Pâques, beauté perpétuelle, duvet blanc, œil-du-jour!

Nous croyons la marguerite fille du Gulf-stream et de la tiédeur de mars.

Cependant, le tussilage ou chasse-toux envoie ses fleurs, pour voir le Temps-qu'il-fait; voici ces éclaireuses, coiffées de houppes blondes : « Ne venez pas encore, crient-elles aux feuilles, remettez le voyage, nous vous attendrons! » Mais pour quand les feuilles monteront, lourdes, vastes, lentes, paresseuses, les pauvres fleurs seront de vieilles petites fleurs à chevelures blanches, qui déjà se déferont en semences.

Des vols d'alouettes passent dans l'éventail des sillons, le vent semble être un remuement de grandes ailes. L'aube se lève sur un temps mystérieux, le ciel se ramasse, comme pour bondir, puis, tout se détend, et il pleut. C'est une longue pluie apaisée, très mouillante.

Elle s'étend sur tous les pays soumis au fleuve-de-tiédeur venu du Golfe du Mexique. La terre s'étonne, les arbres se revêtent avec délice de ce manteau d'eau. Le sol s'imbibe peu à peu, et nous voici arrivés au règne de la Boue.

Sous l'herbe, la terre mollit et rit de voir s'enfoncer nos pieds; sur les chemins, l'eau fait semblant de n'être qu'une flaque, mais elle s'est alliée à la terre pour embourber les passants. La variété des boues est infinie : il y a celle des chemins qu'on croit bien durs, mais elle vous guette et prend plaisir à vous attraper. Il y a la boue des champs; elle colle aux chaussures, on tire, on sue, on peine... « Apprenez, dit-elle à sa manière, que le printemps appartient à la terre! »

Il y a la belle boue des chemins qui desservent les labours. Boue du printemps, longeant les peupliers du Canada, tout prêts à la feuillaison. C'est une matière mordorée, molle, travaillée sans cesse par les lourds sabots des chevaux et par les roues des charrettes, c'est une boue très profonde et enluminée de flaques d'eau.

— Tu as dix-sept ans et tu vas le long d'un tel chemin, sur un accotement herbeux. Ah! marcher dans cette boue luisante et lisse? Tu t'enfoncerais bien jusqu'aux chevilles... une sauvage envie t'y pousse. Tu poses un pied dans la boue, elle remue, tu t'appuies plus fort... la boue s'écarte pour toi, lentement, formant un bourrelet tout autour de ton sabot de bois. Tu ramènes ton second pied... tu t'enfonces plus vite... Quelques millimètres encore et l'eau passera par-dessus le bord de tes chaussures. L'humidité s'infiltre déjà par une petite fente dans ton sabot gauche. La boue monte encore, elle dépasse le bord, du côté du talon et s'insinue dans ton sabot droit... tu n'es pas encore vraiment mouillée... mais soudain, l'eau pénètre, et maintenant, cela va très vite. Tu t'enfonces, tu t'enfonces, tes pieds disparaissent jusqu'aux pointes recourbées de tes sabots. La boue te montera aux chevilles... puis, le jeu se ralentit; ton voyage dans la terre dégelée s'est arrêté. Te voici plantée par les pieds, comme un arbre par les racines, dans la belle boue saine, faite d'humus et de pluie.

Mais une angoisse te prend le ventre, monte, monte, parvient à ta gorge. Tu fermes les yeux. C'est le printemps, et le printemps te fait mal... Tu rouvres les yeux. Tu vois la boue, les arbres, le ciel et la pluie.

Un saison nouvelle va naître.

*
**

Les matins nous offrent des météores changeants et l'heure de l'équinoxe varie de l'aube à la nuit, mais on parvient toujours à découvrir le moment mystérieux où naît le printemps.

Parfois il est déposé comme un œuf blanc, dans les prairies, à l'aube, puis, le brouillard se désagrège, s'écarte, se détachant d'abord aux places les moins imbibées. Il s'éloigne, en dépliant des mousselines parmi les saules têtards et les peupliers. Des débris blancs flottent un moment sur les mares, les flaques et les canaux, et enfin, l'éclosion de la rosée fait étinceler l'herbe.

L'équinoxe du printemps! un jour, il est arrivé chez moi, comme un visiteur, dix minutes après l'arrêt, dans la petite gare, d'un train venu d'une ville où un grand fleuve charrie l'air marin. Le sifflet du train, dans la tombée du jour, par sa sonorité changée annonçait le mystérieux voyageur. L'air et le vent bourgeonnent à de tels moments et transmettent les sons d'une manière particulière.

Je descendis aussitôt et je courus à un ruisselet qui passait au bout de mon jardin, pensant bien que le printemps saluerait d'abord cette eau naïve. Déjà des moineaux me faisaient signe : « Il est là! Il est là!» Les chemins humides bleuissaient, des parfums sucrés imprégnaient les buées éparses. Sur les bords du ruisselet, deux crapauds d'eau palpitaient, accouplés, immobiles; des ficaires étoilaient le gazon, mais leurs cinq pétales aigus se refermaient déjà, envahis par la langueur du sommeil, tandis que dans les constellations, leurs sœurs s'épanouissaient. Un jeune tilleul me tendit des bourgeons et j'en croquai deux ou trois. Aussitôt je compris le langage des arbres. Tous parlaient de leur prochaine foliation.

Au ciel, le signe du Bélier avait accueilli le soleil.

*
**

Un jour, il y eut une grande discussion, une brouille presque, entre mon père et l'un de ses cousins, tous deux amis des jardins et des arbres.

Le motif de la dispute semblera puéril, mais, comme en tout conflit, la passion des adversaires importait plus que la cause de leur différend.

Donc, le cousin prétendait que tilleuls, chênes ou hêtres se trouvent dans leur état normal pendant l'hiver, sans feuillages. Les feuilles, disait-il, ne sont que le résultat d'une excitation passagère, après la stabilité hivernale et la germination printanière.

Mon père répondait : « Non! un arbre est un être feuillu. Dans sa vie, le repos de l'hiver ne compte pas plus que le sommeil nocturne pour les hommes. »

Puis, se saisissant chacun d'un almanach champêtre, ils discutèrent à coup de feuilles et de bourgeons — l'un cherchait à prouver que la période sans feuilles est la plus longue, l'autre soutenait la thèse opposée.

Mon père disait : « Voyez! dès le 27 janvier, on marque : « réveil de la nature », dès le 19 février, le chèvrefeuille déplie ses bourgeons... vous les connaissez bien? Ils ont la forme de petites fleurs de lis. Après cela, pas un jour où un miracle vert ne se produise, tout le mois de mars en est illuminé! »

Le cousin ripostait : « Regardez donc plus loin, votre tilleul n'attend même pas le 20 octobre pour se défolier et retrouver sa forme stable.

— Mais *votre* aulne? Il ne perd ses feuilles, et toutes vertes encore, qu'à la mi-novembre, la glycine les garde jusqu'au 19 novembre! Remarquez ceci : entre les dernières feuilles et les premiers bourgeons on ne compte que quatre-vingt-dix jours! tandis que neuf mois sont consécutivement feuillus! Et vous prétendez que la feuille est accidentelle dans la vie d'un arbre!

— Sans aucun doute, s'écria le cousin, car, pendant ces neuf mois d'activité, bourgeons et feuilles ne cessent de se transformer, de grandir, de foisonner, de changer de couleur, de se dessécher et de se racornir. Ce n'est qu'après leur chute que l'arbre jouit enfin de quelques mois stables. Or, la stabilité est bien l'état normal! D'ailleurs, voyez *votre* marronnier d'Inde! Au moment de l'éclosion, ses feuilles pendent, molles, comme fanées, et le catalpa ne pousse les siennes qu'au 7 mai!... et encore... l'almanach est bienveillant! »

Enfin, les deux antagonistes s'écrièrent simultanément : « Ah! Ah! la preuve de ce que j'avance : le sapin! » Et ils échangèrent des arguments opposés, tirés du même fait. Le cousin dit : « La pérennité verte du sapin prouve que les feuilles fugaces des autres arbres ne sont qu'incidents annuels. »

Et mon père rétorqua : « Les aiguilles du sapin figurent le feuillage et prouvent que la vie normale d'un arbre est dans sa foliation! »

Ils ne se turent qu'à bout d'arguments et chacun gardant son opinion. Je me souviens du surprenant silence qui s'établit après ces répliques véhémentes. Une pluie d'équinoxe baisait les vitres et voilait le paysage, fait de sapins perpétuellement verts, de chênes et de châtaigners encore tout en nervures.

Les arbres nous entendent-ils? pensais-je. Entendent-ils qu'on parle d'eux?

La discussion n'avait pas été vaine. On n'évoque jamais en vain la nature devant un enfant.

Peut-être est-ce alors que je compris la valeur verte et passagère du mot *feuille*; la grâce triste du mot *défoliation*; et la splendeur solaire du mot *exfoliation*, retrouvé plus tard dans un poème d'Apollinaire : « O marguerite exfoliée... ».

51

La vie des êtres humains est, depuis l'origine, toute mêlée à celle des plantes et des arbres. Les plus répandus d'entre les végétaux sont donc forcément les plus chargés de signification. Dans tous les lieux agrestes, vous trouverez le coudrier ou noisetier. Ses chatons dansèrent la danse du printemps; interrogeons-le encore, c'est un arbre-fée et c'est aussi un « arbre-qui-parle ».

Des sympathies et des antipathies existent parmi les plantes. Même de nos jours, des agronomes suisses s'attachent à les étudier, à les expérimenter. Ils ont établi ainsi que l'amitié des capucines et des pommiers est réelle et motivée. Or, la vigne déteste le coudrier, mais celui-ci, à son tour, en veut au prunellier. A la vérité, ces deux buissons ont chacun un Esprit attaché à leur personne. L'un s'appelle « Frau Hazel » (Mme Coudrier), l'autre « Frau Haddig » (Mme Prunellier) et ces deux dames-Esprits se jouent mutuellement des tours pendables. Peut-être, Mme Prunellier jalouse-t-elle Mme Coudrier de fournir aux fées celtiques leurs baguettes magiques!

Autrefois, Mme Coudrier parlait et donnait de sages conseils aux filles imprudentes. Ainsi nous le prouve une vieille chanson flamande, si jolie que je veux la traduire ici :

« Une jeune fille, bien tard dans la nuit, s'en va quérir du vin. Que voit-elle en chemin? un coudrier verdoyant.

— Ah, Coudrier, dit-elle, pourquoi donc es-tu si verdoyant?

— Ah, jeune fille, dit le coudrier, pourquoi donc es-tu si belle?

— Pourquoi je suis si belle? Je te l'apprendrai : je mange du rôti, je bois du vin, je dors dans un lit de plume.

— Tu manges du rôti, tu bois de bon vin, tu dors dans un lit de plume? Moi, je me baigne de rosée, et, pour cela, je verdoie.

— La fraîche rosée te baigne, dit la jeune fille, et alors, tu verdoies? Mais dans l'hiver neigeux et battu de grêles, restes-tu, coudrier, verdoyant?

— Si l'hiver me prive de mes feuilles, voici l'été qui me les rend, mais si une fille perd son honneur, jamais elle ne le retrouvera.

— Oh! Coudrier, dit-elle, Coudrier, je te remercie pour cette leçon, je courais vers mon cher bien-aimé. Maintenant je m'en retournerai chez moi.

— Eh! oui, retourne, tu feras bien. Monte dans ta chambre. Quand même tu serais à quatre cents lieues de ton bien-aimé, si Dieu veut, vous vous rejoindrez... »

Mon « Mémorial du Naturaliste » prétend que la défoliation du noisetier survient le 30 octobre, non, pas le 31... le 30, exactement, ses feuilles se faneront, se recroquevilleront et, tandis que Mme Prunellier garde glorieusement ses fruits violacés, Frau Hazel s'endormira jusqu'en février. Mais je sais, moi, qu'elle triche parfois et que, dès le 4 janvier, à la Saint Rigobert [1], on peut voir de petits chatons courts et dodus se dégager lentement du sommeil d'hiver.

C'est dire qu'à l'équinoxe du printemps, tout joufflu de gros bourgeons, et la fleur femelle étant fécondée, il prépare déjà le petit œuf brun et dur de la future noisette ou aveline.

Dans les temps anciens, ces avelines contenaient parfois un nain qui vous jetait des sorts ou vous faisait des dons surprenants.

Ne quittons pas mars sans avoir assisté à une danse de grésil. Nous pensons que c'est une danse d'amour, comme celle des chatons de coudriers, et celle des épis de blé.

N'est-ce pas la brise de juin qui sème le vol des pollens sur les champs de seigle? Ainsi le vent de mars amène-t-il des nuées de

---

[1] Saint mérovingien auquel le coudrier est dédié.

grésil, au moment où le ciel neuf s'épanouit en corolle d'azur. Sans doute, ce pollen-grésil est-il arraché à de miraculeuses fleurs de neige ou de glace, en des contrées de l'air où naissent, grandissent et abondent les grands nuages.

Avant de toucher le sol, d'y rebondir, puis de s'y confondre, ce grésil danse et chante. C'est un murmure léger et joyeux, chaque grain semble choisir, appeler, puis rejoindre un invisible pistil d'air.

Le vent ne permet pas au grésil de danser longtemps à la même place, il l'emporte, toujours plus loin, vers d'autres champs d'azur, vers d'autres floraisons d'espace. L'azur, après son passage, est plus brillant, plus lumineux, plus heureux, et sur les chemins, aux coins des bois, aux creux des sillons, un peu de grésil mal fondu jonche le sol, comme si, de pollen, il était soudain transformé en pétales.

Si le matin frais étend des mousselines de gelée blanche, les rayons solaires la feront bientôt perler en prismes aux brins d'herbe, s'égoutter aux branches. La gelée blanche cède peu à peu aux tiédeurs errantes, mais elle reste fidèle à l'ombre des arbres, des murs et des maisons, et demeure là, tapie, jusqu'au soir, pour se répandre à nouveau, pendant les moments de cristal glacés qui précèdent l'aube. Pourtant nous savons que cette glace est trompeuse. Le printemps travaille l'espace, certains bourgeons le devinent : ceux du chèvrefeuille, ceux des sureaux et des coudriers.

AVRIL

Depuis que les eaux sont libérées des glaces, elles préparent le printemps. Si le vent du sud vient y voguer, fin mars, elles se mettront vraiment au travail.

L'eau drainée par les prairies commence. Ces prairies forment des quadrilatères, coupés de minces fossés où s'épanche le trop-plein des pluies. Des rangées d'aulnes, des saules et des peupliers du Canada s'en abreuvent et la transforment en aubier et en feuillage. Pendant l'hiver, on a coupé les aulnes au ras du sol, tondu les têtes des saules, émondé les peupliers, afin qu'ils n'envoient pas trop d'ombre aux foins et livrent des planches très longues à la scierie.

Les ruisselets, sur leurs bords, triomphent bientôt en floraisons. L'anémone a la couleur hâtive de la piéride, ce fragile papillon blanc, elle fleurit obstinément au moment où des nuits froides et des brises turbulentes semblent devoir l'engourdir à mort et l'arracher à sa tige grêle. La ficaire qui l'a devancée, se perd de plus en plus dans un foisonnement de feuilles en forme de cœur, et la primevère, première du printemps, dresse une hampe pâle, couronnée de cinq ou six fleurs jaune-soufre. On la nomme chez nous : fleur-clé, peut-être parce qu'elle ferme le mois de mars et qu'elle ouvre le mois d'avril.

Le ruban d'eau qui encadre les prairies est ainsi bordé par deux liserés de fleurs. L'intersection des fossés forme des mares rondes annelées à leur tour d'arbres et de corolles.

Pour nous approcher de ces miroirs d'eau, sans nous perdre dans la boue, nous poserons nos pieds sur une de ces souches d'aulnes, à demi submergées, agrippées à la berge par des écheveaux de racines rouges. Nous croirons, en nous penchant, pouvoir lire les rêves du printemps dans les regards de l'onde... Mais la mare grouille déjà d'activité. La vase lisse, faite de la lente décomposition des feuilles et des herbes, dégage une odeur amère, à cause des aulnes; sa couleur grise est due à quelque chêne têtard porteur de tanin et couvert de noix de galle. Avec les feuilles mortes, toutes les saisons passées se sont perdues dans cette vase, et elles renaîtront en mille vies grouillantes. Les enfants du jeudi après-midi pêchent, munis d'un vieux tamis, et prennent la salamandre au dos crêté, au ventre orange; le brutal dytique; la larve de libellule aux mandibules menaçantes; une petite araignée d'un rouge corail, et des nèpes qui ressemblent à des semences de lunaires.

Des couples de grenouilles pondront bientôt une profusion de masses albumineuses, irisées, semées de points noirs. Les crapauds d'eau fileront de longs chapelets gluants, tandis qu'à la surface de l'eau glisse en zigzags, un léger insecte, l'hydromètre, que nos enfants nomment: le petit rameur.

Or, le soleil, déjà haut, envoie l'ombre de l'insecte sur le fond de l'eau et nous voyons s'y dessiner cinq points disposés comme le cinq du jeu de dés. Cinq, cinq, cinq, cinq. Pourquoi cinq? Peut-être pour les cinq activités des ruisselets, des mares, des étangs, des ruisseaux et du fleuve.

Après les ruisselets et les mares, voyons les étangs:

Le martin-pêcheur d'émeraude et le brochet couleur de verre filé y règnent en avril. Chaque élan de l'oiseau relie les berges entre elles et ses vols sont rapides: le ruban vert de l'un flotte encore à nos yeux que, déjà, il en déroule un autre, ainsi aide-t-il au verdoiement d'avril. Le voici perché sur un saule, d'où il se détachera, tombant comme un caillou. Puis, la proie au bec, il rejaillira de l'eau et reprendra le jeu des rubans verts.

Il n'a garde de s'attaquer au brochet qui sommeille, non loin de la berge, entre deux eaux, et dont l'immobilité est inquiétante, car c'est l'immobilité de la flèche, sur l'arc bandé. Il est l'image de tout ce que le printemps a d'impitoyable et d'aigu : le vent d'est, la gelée blanche, l'acidité des sucs, la lutte sourde des racines, l'inquiétude des adolescentes, la cruauté des hommes et le tourment des femmes.

Voici le travail d'avril tout autour des étangs : il couvera des œufs de grenouilles et bâtira le nid des poules d'eau. Il réveillera les roseaux, froissera les jeunes plantes de menthe, offrira leur parfum aux soirées tièdes et glacées. Nous verrons monter, du fond de l'eau, les pousses rondes et rouges des nénuphars. Elles ont hâte, maintenant, d'atteindre la surface, de briser le miroir qui les sépare du soleil, de capter la lumière, de l'assimiler jusqu'à ce qu'elles possèdent assez de blancheur et assez de rayons, pour composer des fleurs et les offrir, épanouies, au mois de mai.

Le ruisseau portera les messages du printemps au fleuve. Il est soumis à la marée, et les eaux abondantes d'avril, jointes à l'eau du flux, le gonflent tant qu'il arrachera des touffes d'herbes et de roseaux à ses berges. Il est si pressé de dire la bonne nouvelle au fleuve, que tous les reflets de l'azur, des nuages, de la pluie et du vent se mêlent dans l'élan de son courant : arriver ! arriver ! Il ne regarde ni les fleurs sur ses berges, ni les arbres dans les clos, ni les champs verdissants. A peine une nuée de grésil parvient-elle à le faire frissonner ; à peine le vent, pour le contrarier, réussit-il à rebrousser des vaguelettes... Une haleine tiède glisse avec lui. Le soir, il envoie dans les prés et enroule aux arbres, des rubans de brume dont seuls les peupliers émergent. Le matin, le ruisseau reprend tous ces linges humides et les entraîne. Il tourne à chaque objection d'un champ renflé ou d'un bois qui monte, se précipite vers la moindre déclivité d'un pré, et, enfin, il aperçoit la grande eau.

— Me voici! je suis lourd d'images, de parfums, de reflets, me voici, porteur des messages d'avril!

Mais en se jetant dans les bras du fleuve, il trouve celui-ci déjà comblé par la lumière du printemps. Le printemps y subsiste par lui-même, indépendamment des germinations. Rien que le jeu des lumières et des nuages réverbérés. Rien que l'évasion de la froidure hors de l'eau, et, personne ne peut s'y tromper : sur la vaste masse aquatique, qui afflue et reflue deux fois chaque jour, le printemps règne! Nous le percevrons plus que nous ne le verrons. Hors du fleuve, éclôt la lumière d'avril, instable, voilée, versatile, toute en nuées et en coups de vent. Parfois surgit un midi d'une tiédeur subtile, et qui se répand en millions de pâquerettes sur les hauts remparts herbeux, entre lesquels les hommes tentent d'endiguer l'exaltation des eaux d'équinoxe.

Voilà donc accomplie la quintuple activité des eaux, indiquée par l'ombre de l'hydromètre.

Tâchons de diviser en cinq aussi l'abondance des fleurs en avril.

Les lisérés de fleurs que nous avons vu naître le long des fossés de drainage, s'agrandiront de rubans en nappes, montant des prés vers les bois et les jardins, pour atteindre la masse des vergers. Cinq, cinq, cinq, continue à dire le petit rameur de la mare. Pourquoi cinq? Pour les fleurs des prés, des lisières, des bois, des jardins et des vergers.

Si l'eau utilise chaque déclivité du sol, la ronce s'empare du moindre espace négligé par la culture, et surtout, elle ourle les bois, à cette place qui n'est plus le bois et pas encore la terre des champs ni le tapis des prairies. Les ronciers sont habités de moucherons et de petits papillons; ils abritent aussi des fourmilières. Couverts de jeune verdure, ils font patte de velours, comme des chats. L'avidité des ronciers est telle que, lorsque le grésil danse dans l'air bleu, ils en dérobent des grains et les gardent longtemps cachés aux plis de chacune de leurs feuilles hâtives.

Pendant ce temps, dans les bois, le travail de bourgeonnement continue. Dès que les chatons cessent d'être jaunes et dès avant sa feuillaison, le saule bleuit. On dirait que la sève est déjà porteuse de cette douce couleur qui mêle les chevelures des saules à l'azur faible des matins. Mais le hêtre roussit, à cause des cupules couleur de chrysalides, dont les bourgeons sont enveloppés. Enfin, les papillons de feuilles se dégagent, et couvrent l'arbre de leurs ailes vertes, tandis que la multitude des gaines ocres tombe sur le sol. Ainsi, chaque arbre a sa manière particulière de développer ses bourgeons... Le tilleul colle, l'aubépine frise, l'orme ondule et son toucher est velu. Quand la brise se glisse dans les branches, toutes les petites ailes vertes du bois s'agitent et voudraient s'envoler. Elles ignorent encore qu'elles sont attachées et ne quitteront leurs liens qu'en mourant.

L'image d'avril, dans un jardin de village, est la cardamine. Dès qu'elle paraît, elle amène un papillon brun et blanc qui lui appartient. Elle ouvre la querelle du rose et du lilas. Les prés ne répondent plus à ses questions, car elle seule s'empare de l'herbe, elle et quelques bons gros pissenlits si sûrs d'être jaunes qu'ils ne s'inquiètent pas.

« Suis-je rose? Suis-je lilas? » L'églantine qui orne la petite grille du jardin répondra : « Mauve », car elle s'y connaît en rose... mais le buisson de lilas répondra : « Rose »... et n'admettra pas d'autre couleur lilas que celle de ses propres grappes. Des touffes de cardamines se nichent jusque dans les bordures de buis, et le buis jugera : ni rose ni mauve : blanche. Quant aux pousses de rhubarbe elles répondent *rouge* à tout ce qu'on leur demande. Les cardamines se querellent avec les pêchers en fleurs qui arborent le rose le plus invraisemblable, et avec les groseilliers déjà si feuillus que leurs fleurs en verdissent. Les cardamines ne seront intimidées que par la profusion fleurie des cerisiers et par le bouillonnement des poiriers. Là, on ne la regarde plus. Au jeu du printemps, les vergers sont invincibles.

*
**

Le poirier, sur le point de fleurir, ressemble à un essaim, chaque bourgeon a la forme d'une abeille. L'un des poiriers que je connais bien, un Beurré-Hardy, a poussé si vigoureusement qu'il a pris la taille d'un jeune hêtre. Il est l'ami des nuées d'avril auxquelles il tend ses longs bras. Je ne connais pas de plus beau spectacle que d'en voir monter une à travers ses branches au moment du bourgeonnement.

Cette nuée ne ressemble pas aux continents en voyage où le soleil de mars est si souvent englouti. Elle montera du sud-ouest et sa consistance est si légère qu'une sorte de buée tiède la précède et la suit. Elle ne se dessine bien que lorsqu'elle va gagner le soleil, au penchant de l'après-midi. On ne sait pas si elle ruissellera de pluie ou bien de lumière. Chaque bourgeon du Beurré-Hardy prend alors sa valeur complète d'insecte ailé. La pluie de telles nuées est douce comme le miel, elle glisse plutôt qu'elle ne jaillit des nuages. Au pied du poirier, les sillons préparés se gorgent de tiédeur. Cette averse couleur de pervenche, venue dans une buée, s'éloignera dans une poussière d'or. Toute la fraîcheur créée par la brise remonte, on le remarque bien aux colonnes dansantes de moucherons. Les premières hirondelles y passent et repassent en criant. Dans les champs, la terre nue, préparée aux cultures, saturée d'eau, reflète l'azur retrouvé.

Bientôt la clarté du ciel ouvert, le froid qui en descend, refoulent et condensent les moiteurs dont l'air est resté imprégné. Des nappes de brouillard s'étendent, glissent, descendent vers les lieux humides, d'où vient à leur rencontre le moutonnement blanc envoyé par la rivière.

Le crépuscule sera chargé de germes et d'acidité. Allez au jardin, près des rangées de groseilliers. On plante souvent, à leurs pieds, l'oseille. Cueillez-en une feuille, mâchonnez-la, vous éprouverez mieux encore les charmes d'avril, car il est bon d'y joindre une saveur. Pensez à la terre travaillée par un levain de racines blanches; au ciel, si docile que le sud y installe sans cesse des journées fondues d'averses; pensez aux pois qui lèvent, pensez à la cardamine. Pensez qu'en ce moment même, toutes les abeilles du grand poirier se transforment en fleurs.

Souvent, par un tel soir, encore glacé, mais surexcité d'odeurs, nous entendrons pour la première fois le rossignol.

Et demain, le Beurré-Hardy aura perdu son mystère. C'est bien sa nuit de noces avec le mois d'avril! Il émergera, tout en fleur, de l'aube irisée.

Cinq, cinq, cinq, nous dit inlassablement le petit rameur des mares; cinq, pour les prés, les lisières, les bois, les cardamines faufilées dans les jardins, et les poiriers perlés.

Le mois d'avril est fils du Gulf-stream, car il reçoit, aux paumes tendues des campagnes, le grésil, les nuées, les vents marins, les buées et toute la mouillure fécondante du printemps.

Reprenons le « Mémorial du Naturaliste ». Les annotations au crayon qui le surchargent sont parfois belles comme un poème, mystérieuses comme une légende, et elles joignent une sorte de précision mathématique à l'élan de joie enfantine donné par le mois d'avril. Si notre désir de logique et de preuves y met des points d'interrogation, c'est bien à tort. Il faudrait admettre ces affirmations comme nous admettons le vent, les nuages, les saisons inégales.

Notre livre souhaite qu'avril soit pluvieux et le naturaliste qui l'annote écrit en marge, au crayon : « Les hirondelles arriveront — le poirier, le pommier, le cerisier fleuriront — les champs de colza de jaune se pareront — rossignols, grives, cailles reviendront. »

Plus loin, la même main a tracé ces mots mélancoliques : « Ne te réjouis pas trop vite, et ne crois pas de l'hiver avoir atteint la fin, que la lune d'avril n'ait accompli son plein. » Au 3 avril, trois mots seulement, mais quels mots ! « *La bergeronnette revient.* »

La voilà, marchant à petits pas, elle ne saute pas, comme un vulgaire moineau, elle pose gentiment ses pieds l'un devant l'autre. Élégante, vêtue de blanc et noir, elle secoue sa petite tête vive et hoche sa queue. Elle est d'une inlassable curiosité. Elle sait tout ce qui se passe dans les lieux qu'elle fréquente. Si elle est revenue, c'est pour savoir comment le printemps va s'installer.

La maison, *le* jardin, étaient mon univers, mon paradis. On ne disait même pas : *notre* maison, *notre* jardin. L'absolu ne demande pas à être affirmé. Dans la maison, dans le grand jardin, nul danger, nul mal n'aurait pu m'atteindre. Je n'étais pas tentée de traverser la haie ou de franchir la grille. Le soleil, parmi les arbres, était notre soleil, la pluie tendait des bras fraternels et devenait mienne dès que les nuages passaient au-dessus du jardin ; la neige semait pour moi ses pures délices blanches, et il me suffisait de me pencher par la fenêtre pour voir aussitôt mon petit visage, réfléchi dans l'étang, m'offrir un sourire.

De l'autre côté de l'eau, j'apercevais un chemin, puis, la haie et le potager des voisins d'en face. Un peu plus loin, le tas de fumier où picoraient des poules blanches, puis, la ferme, avec sa porte cintrée. Des gens sortaient, travaillaient, rentraient. Je savais que les belles filles blondes se nommaient Catherine et Lisbeth, que le fermier s'appelait Devries... Tout cela, ce n'était pas « chez nous » mais bien chez « les autres ».

Le jardinier de mon père, et Julie, la servante de ma mère, participaient au « chez nous ». Le hasard voulait Julie aussi brune que nos voisines étaient blondes, et, comme ma mère et moi étions d'un châtain foncé, cette différence de chevelure contribuait encore à séparer les deux univers.

Les semaines se succédaient, se groupaient en saisons, puis nous quittaient, et il me semblait confusément, que, pour pouvoir faire leur travail dans notre jardin, les mois devaient se présenter à la grille et sonner. Julie ouvrait la porte, leur permettait d'entrer, et leur disait en secouant ses boucles noires que, oui, ils étaient autorisés à se mettre à la besogne, à condition que le jardinier fût d'accord.

Un matin, maman m'appela :

« Vois! comme c'est joli! des bergeronnettes ont choisi notre boîte aux lettres pour y construire leur nid! »

J'aperçus les oiseaux blancs et noirs, vifs et précis. Ils portaient dans leurs becs des brins d'herbe ou de petits duvets, pénétraient dans la caissette de fer suspendue aux barreaux de la grille, repartaient, s'évertuaient avec une rapidité ravissante.

Aussitôt, on apposa un écriteau, prévenant le facteur : « Ne rien glisser dans la boîte, S. V. P., des oiseaux y nichent »... et maman me recommanda de ne pas ouvrir la boîte, afin de ne pas effaroucher les bergeronnettes.

Chacun s'intéressait au nid : le facteur, le garçon boucher, l'épicier et le boulanger.

De temps en temps, maman, avec une prudence extrême, entr'ouvrait la petite porte : « Viens! et regarde... vite! » Dans l'ombre, parmi un fouillis de brindilles, j'apercevais la tête inquiète de la petite couveuse, et, un peu plus tard, des oisillons aux becs immenses.

Ah! qu'ils habitaient bien là! Ni la pluie, ni le vent, ni le chat ne pouvaient leur nuire. C'est qu'ils avaient été admis dans l'univers enclos d'une haie, fermé d'une grille, à l'intérieur duquel tout devenait nôtre, plein d'amour et de sécurité.

Souvent, quand on tirait la grille un peu trop brusquement,

un des habitants de la boîte aux lettres s'en échappait dans un frémissement de plumes, et, quand, mouche au bec, un des oiseaux pénétrait dans la fente, on entendait crépiter les cris des oisillons.

La propriété de mon père comprenait deux grilles : la première, disposée comme une agrafe à laquelle s'accrochaient les haies d'aubépines; la seconde, plus près de la maison, fermait le pont. C'est à celle-ci qu'était suspendue la boîte aux lettres. Le côté extérieur de cette grille n'appartenait même pas au grand chemin, et les oiseaux étaient donc bien « nos bergeronnettes ».

Le mois de mai tourna d'ondées en soleils. Sans doute, un soir que je dormais déjà, Julie ouvrit-elle la grille au Mois-de-juin, car les cerises s'arrondirent, l'aubépine se fana, et, un matin, le nid se trouva vide : les petites bergeronnettes voletaient dans un buisson penché sur l'étang.

Aussitôt, je m'approchai de la grille, et j'ouvris la boîte aux lettres, afin de pouvoir admirer à loisir notre nid. De petites pailles et de la mousse tapissaient la caissette; au centre, le lit même des oisillons était garni de choses douces et moelleuses que j'identifiai joyeusement. « Voici du duvet de la poule brune, voilà des brins du tapis rouge, qu'on a secoué dans la cour, au printemps. Oh! de petits bouts de la laine à tricoter rose, de maman, et voici, si fins, si soyeux, des cheveux! »... Mais, ai-je mal vu? ces cheveux ne sont ni les miens, ni ceux de ma mère, et ils ne proviennent pas des boucles noires de Julie... Non... des cheveux d'un blond éclatant, des cheveux envolés des peignes de Catherine et de Lisbeth!

Ah!... pour nos oiseaux, l'univers clos de haies ne signifiait donc rien, n'existait pas? et ils prenaient leurs légers matériaux là où ils le voulaient? Une grande lumière se faisait dans ma pensée d'enfant. Non! rien de ce qui animait le jardin n'était *à nous* : le vent, ni la pluie, la neige ni le soleil; l'air ni les oiseaux; les mois, ni les saisons travailleuses... et ils m'en devinrent plus chers, d'être fugitifs et nomades.

*
**

Apprenez que la date à laquelle tombe Pâques n'est pas sans influencer le temps! En effet, la première pleine lune qui suit l'équinoxe du printemps ordonne le dimanche de Pâques... Or, la lune gouverne aussi les marées. Donc, dans notre pays, asservi aux vents de mer, le temps dépend de Pâques...

Ainsi le veut la sagesse populaire. Que le dimanche des Rameaux fleurisse à mi-mars ou à mi-avril, il n'en règle pas moins le visage des mois. « Quand il pleut le jour des Rameaux, il pleut à la fenaison et à la moisson. » « Semaine sainte mouillée donne terre altérée. » « Le vent qui souffle le jour des Rameaux est le vent dominant de l'année... »

De jour en jour, le « Mémorial du Naturaliste » nous comble de feuillaisons, de chants d'oiseaux, de nuées, de soleils...; arrivé au 26, il s'écrie: « Le coucou chante »; le 30, il ajoute: « Le loriot revient ». Alors, il referme avril et nous offre le mois de mai.

LES RÉSERVES DE MAI

Jamais le mois de mai ne parvient à épuiser toutes les beautés dont il dispose. Ces beautés inemployées constituent sans doute une immense réserve, qui foisonne, luit et chante en quelque lieu d'azur, où seule notre imagination peut nous mener. On devine, tout au long des jours et des nuits, cette profusion de beautés accumulées. C'est pour cela que mai, s'il est en proie à de durs nuages, traversé par des courants méchants, contrarié par les saints de glace, bref, attaqué par ce que nous nommerons l'anti-mai, ne nous semblera jamais terni, maussade, ni froid.

Les splendeurs livrées par mai atteignent une grande force d'émotion. C'est parce que, limitées par le temps, il faut bien qu'elles se hâtent, fusent, éclatent. Leur clarté, leur azur, débordent les moments qui leur sont assignés; et les jours en proie à l'anti-mai sont submergés de joie, de chants et de fleurs. Les moments rayonnants parviennent à se rejoindre par-dessus plus d'un jour de vilain temps.

Mais les réserves de mai doivent être, pourtant, pleines de merveilles, et j'aime à m'y rendre en idée.

Songez, par exemple, aux nombreux arcs-en-ciel empêchés de se former parce qu'un nuage malencontreux s'est mis devant le soleil?

Sans doute brillent-ils tous dans les réserves de mai.

Les arcs-en-ciel de mai sont parmi les plus beaux de l'année. Ils se laissent glisser de quelques nuages amassés par les saints de glace, poussés par le nord-ouest. La pluie danse encore dans l'air, la frange des volutes s'éloigne, et le soleil s'en échappe. L'arc-en-ciel doit choisir ce moment-là. Le nuage fuyant lui fournit un écran, les gouttes d'eau, leur prisme. L'arc-en-ciel s'élance, décrit sa courbe, et vient toucher un point vital du paysage. Soit un village lointain entouré de pommiers fleuris, soit une touffe de hauts peupliers. A l'avant-plan, un chemin noyé reflètera l'azur retrouvé, et, si un champ de colza fleurit par là, il nous offrira un jaune inoubliable. Certains arcs-en-ciel font revenir les pigeons blancs des giboulées de mars pour éclairer, à l'aide de leur vol, les parties trop sombres du grand nuage-écran.

De même que la cardamine est munie de son papillon, l'arc-en-ciel est toujours accompagné d'un parfum de terre et de verdure mouillées. Le courant froid, qui suit la nuée, hume ces parfums, les flaire, comme un chien de chasse. On le voit se mettre en quête, fureter parmi les herbes, soulever les branches, battre les bois, prendre la trace : au bout de la piste, le courant froid trouve l'arc-en-ciel.

Quand vient le soir, le courant froid est lui-même tout imprégné des parfums divers offerts à l'espace par une averse de mai.

Figurons-nous aussi la partie des Réserves de mai où vivent les nuits lunaires, éclairées de rossignols. Elles sont placées tout près du courant froid transi d'aromes, et lui succèdent, car jamais les nuits ne sont aussi pures qu'alors, jamais aussi lisses, aussi aptes à propager d'arbres en arbres, le chant du Printemps. Des perles d'averse mal essuyées luisent encore au front des chemins, des plantes et des feuilles. Les gouttes sonores du rossignol sonnent dans les flaques de lune, touchent les cascades des cytises, se perdent dans l'océan des grands hêtres. Des chants s'infiltrent jusqu'aux places les plus obscures, là où la lune ne peut parvenir, et l'on devine que de vagues vies végétales s'animent à leur toucher. Rien ne dort, et pourtant, rien ne bouge. J'ai pour ami un grand hêtre, et lui aussi existe dans la réserve du mois de mai, car l'anti-mai ne lui permet jamais de livrer tout son silence et toute son immobilité. Je le retrouve parmi les auditeurs du rossignol. Ses feuilles savent qu'il ne faut pas remuer. En de telles nuits, elles ne sentent plus le lien de la tige, elles oublient qu'elles ne pourront s'en libérer qu'en mourant.

Le sommet du hêtre se baigne de lune, et ce qu'il en pénètre à travers le feuillage ressemble à des linges blancs, affaissés sur les bras des branches luisantes. Les plus petites des feuilles, à peine jaillies de leurs gaines, confondent la lumière lunaire et le chant du rossignol. Avant l'aube, un frisson passera, causé par le retour du courant froid chargé de parfums, et alors seulement le murmure des feuilles répondra au rossignol.

Avançons toujours parmi les Réserves de mai. Nous rencontrerons l'aube encore glacée, avec une rosée abondante, presque pareille à de la gelée blanche. C'est que, nous l'avons vu, depuis les jours du Verseau, toutes les giboulées, les averses, les ondées, les fines buées, les danses de grésils et les nuées tièdes ont transi d'humidité nos plaines unies. Elles ont absorbé encore plus d'eau qu'elles n'en ont laissé s'en aller vers le fleuve. La magie de mai vient donc de la puissance du jeune soleil, mêlée à toute cette eau, soit latente dans l'atmosphère, soit utilisée par la végétation. Lorsque le poète Hubert Dubois parle d'un *édifice d'eau pure*, je vois en idée un tel matin. Si toute autre matière que l'eau en était retirée, les formes subsisteraient pourtant, chaque chose resterait dessinée, et l'on verrait briller des arbres, des buissons, des herbes et des fleurs d'eau.

Aussitôt que le soleil monte, les arbres, comme des pommes d'arrosoirs, laissent filtrer la lumière. Chaque fil de soleil rencontre une goutte de rosée, et certains s'y prennent si bien qu'une étincelle, empruntée au prisme, jaillira.

A cette heure-là vous verrez souvent passer des hérons. De leur vol, tomberont des images fluviales, des idées d'étangs, de rivières, de lacs, elles se mêleront à l'*édifice d'eau pure*, et alors seulement, vous entendrez chanter le coucou et le loriot, annoncés par notre « Mémorial du Naturaliste ».

Dès qu'un soleil bien réel, bien solide, nous rendra la terre, exempte de mystères, nous quitterons les lieux où mai conserve ses beautés inemployées, et nous consentirons à nous occuper de l'anti-mai.

Les maîtres de l'anti-mai sont les saints de glace. Il est rare que la période du 10 au 14 échappe à leur emprise. Ils n'ont qu'à choisir : le nord leur offre des pluies chassées par un vent dur; le nord-est, des houles de nuages presque aussi tumultueuses que celles de mars, et l'ouest, une nappe maussade, unie et grise, qui retient la pluie, la garde suspendue pendant des jours, et s'efforce de faire oublier que, très haut au-dessus des nuages, luit tout de même le soleil de mai, celui qui habitera, le 21, la maison des Gémeaux. Si un coin du tablier des nuées se dénoue, une profusion de lumière, une guirlande de rayons dégringoleront sur les campagnes soumises à l'anti-mai. Celui-ci s'effacera aussitôt, et le soleil des Gémeaux trouvera les chemins, les jardinets et les courtils pleins d'enfants jouant à la balle ou à la marelle. Il caressera dans les prairies, sur les accotements de chemins, dans les pelouses, des multitudes de chevreaux et d'agneaux nouveau-nés. Le grand bétail, déjà réhabitué à l'espace des prés, ne se souvient même plus des étables d'hiver.

Or, à travers tous les troubles de l'anti-mai, le coucou continue à chanter, le pissenlit à s'arrondir en globes laiteux, les crosses des fougères à se dérouler; le 11 mai plante le haricot, les nénuphars s'épanouissent, et un long dialogue entre le marronnier d'Inde et la rhubarbe aboutit à sa conclusion.

Devant la ferme contiguë à ma demeure, s'élève le plus beau des marronniers d'Inde et, au midi de ce marronnier, sont cultivés les plus riches des plants de rhubarbe. Dès le début de mars, je les entends parler.

La rhubarbe d'abord :

70

« Hé là, la terre tiédit, la pluie s'adoucit. Marronnier, marronnier! Je fais mes pousses. Regarde, déjà elles affleurent, comme de gros tampons rouges et luisants. Où en es-tu?

— Holà! répond le marronnier, le vent d'ouest joue dans mes rameaux. Je prépare mes bourgeons. Ils seront magnifiques : bruns, gras et collants.

Du temps passe.

Puis, la rhubarbe dit :

— Cette giboulée de grésil m'a roussi une pousse, et m'en a gelé deux autres. Me voilà retardée de plusieurs jours.

— Moi, chuchote le marronnier, j'avance. Bientôt ma première feuille percera un bourgeon, du côté sud. Je travaille par là à une jeune branche abritée par le toit de la ferme.

Le temps passe.

— Mes feuilles promettent d'être belles, dit la rhubarbe, mais quelle délicate besogne que de les déplier, de les défriper. Je m'y mets dès l'aurore, tout le jour, jusqu'au soir, et je travaille même la nuit, s'il pleut chaud!

— La sève gonfle mes bourgeons, répond l'arbre, certains crèvent. Ils sont saturés de gomme, de glu, à en perdre des gouttes entières, mais j'ai de la sève à profusion. Mes feuilles sont tendres et molles. Il leur faut des soins, de la prudence, et ne pas leur permettre trop tôt la foliation.

Le temps passe, mais rayonne :

— Mes feuilles sont grandes comme des parasols! mes tiges, ombrées du rouge au vert!... Il est temps que l'on en cueille. Mes racines s'impatientent et préparent déjà une série de nouvelles pousses!

— Ah! s'écrie le marronnier, je flambe de toutes mes fleurs et chacune est aussi belle qu'une orchidée rare. Je suis illuminé comme un immense arbre de Noël! »

Enfin, une charretée de bottes de rhubarbe quitte la ferme. Le marronnier penche exprès ses plus basses branches, et de ses rameaux bousculés au passage, une pluie de fleurs tombe sur le frais chargement.

71

Tout comme les êtres humains, les fleurs possèdent des prénoms et des noms de famille. Je voudrais donner, en outre, à certaines d'entre elles, une classification non-botanique, ayant trait à leurs qualités morales et à leurs goûts.

Rassemblons d'abord la famille des Amies-du-soleil, car le mois de mai nous en offre la plus pure, la plus naïve, la plus passionnée. La Dame-d'onze-heures! Elle aime le soleil avec une candeur qui va jusqu'à l'audace. Elle ose se fermer aux douces après-midi de printemps; rester obstinément close aux aubes scintillantes de chants d'oiseaux; demeurer sourde à la grosse goutte ronde du coucou, aveugle à l'irisation de la rosée.

Elle attendra onze heures! Le bouton épie le méridien. Le soleil monte, monte, le voici presque au milieu de sa course. Alors... oh! alors! Un écarquillement de pétales! Jamais assez étalés, jamais assez pointus, jamais assez ouverts au rayonnement doré de midi!

Le coquelicot de juin appartient à la même famille morale. Il n'est qu'un cri, qu'un appel au soleil. Ses pétales se hâtent tant vers le rayonnement, que, tous chiffonnés encore, ils fendent déjà le bouton velu, et prennent la forme d'une coupe, afin de mieux recueillir la lumière. Le cœur est tout noir, puisque le noir absorbe la clarté. Alors, une lutte commence entre le cœur et les pétales : c'est à qui captera le plus de soleil. Le cœur victorieux repoussera bientôt les pétales, le voilà seul et brûlé de lumière.

*
**

Nous sommes tentés de tout passer à des jours rayonnants et bleus; mais le manque d'eau sous un ciel gris, que l'anti-mai nous inflige parfois, est impardonnable, alors que la terre et les plantes ont tant besoin de sucs et de soleil.

En de tels moments, Baptiste, le jardinier, devient amer et ironique :

« *Ils* ont de l'eau tant qu'ils veulent, là-haut, dit-il, mais, soyez tranquille, elle n'est pas pour nous! Par exemple! ce qu'*ils* en font, je me le demande! »

Baptiste assure aussi que ce temps fait entrer les pousses des jeunes légumes sous terre et se replier les fleurs de pois dans leurs calices.

Enfin, l'anti-mai cède à l'ondée tant désirée :

« Il pleut, dit alors Baptiste, ce n'est pas trop tôt! Vous croyez qu'il tombe des gouttes d'eau? Non. Il pleut des petits pois et des pommes de terre. »

La vieille Julie, du fond de sa cuisine, crie : « Qu'est-ce que vous dites, qu'il pleut? »

Baptiste, la face ruisselante et réjouie, indique d'un geste triomphant la pluie tiède, douce, continue, qui chante dans la jeune verdure, et répète :

« Je dis qu'il pleut des pommes de terre nouvelles et des petits pois!

— Oh! soupire Julie d'un ton déçu, je croyais que vous aviez dit : de jeunes carottes! »

... Dans le groupe des amies de la pluie, citons aussi la fougère, la petite graminée rouge, le lichen du châtaigner. Songez aux fougères après une averse, et humez le parfum qu'elles délivrent. Elles aiment la pluie avec une passion de plante privée de fleurs. Chaque année, au moment de la poussée, les fougères doivent rêver aux fleurs, comme les femmes stériles rêvent à l'enfant. Elles imaginent sans doute les fleurs qu'elles pourraient avoir, soit des ombelles, aussi légères que leurs feuilles dentelées, soit, au contraire, pour contraster avec leur transparence, quelque grande, grosse, lourde composée jaune. Aussitôt que survient une averse, les fougères s'en emparent, vibrent, rayonnent. Elles ne suspendent pas, comme des perles, les gouttes qui leur sont données, elles s'imbibent de pluie, comme les visages d'enfant, à la mer, s'imbibent de hâle.

La petite graminée rouge des bords des chemins et des terrains vagues, au contraire, s'orne de gouttelettes minuscules.

Sans doute aime-t-elle à prolonger ainsi le contact frais de l'eau. Par les aubes chargées de rosée, la petite graminée devient un épi d'eau, comme le froment est un épi de grain. Aussi précieusement que l'épi porte ses promesses de farine, la petite graminée arbore sa promesse d'irisation. Voyez, lorsque le soleil écarte les brumes, et se glisse parmi ces hampes, ses rayons réduiront les grains d'eau en farine d'arc-en-ciel. Des étincellements de couleur bougent, s'allument, s'éteignent, dansent, vibrent.

Le lichen ami-de-l'eau est une plante pauvre à laquelle manque un élément qu'il lui faut emprunter à d'autres végétaux. J'ai souvent observé le lichen du châtaigner. Il est vert-de-gris et ressemble à de petites rosaces tuyautées, appliquées aux troncs en grande multitude. Quand l'eau lui est offerte, et non seulement les gouttes qui lui reviennent, mais encore l'onde qui ruisselle et flue le long du tronc, le lichen jouit plus que toute autre plante du bonheur donné. Il n'absorbe pas l'eau, comme la fougère, il ne la retient et ne s'en pare pas, comme la petite graminée, il s'en baigne, s'en gorge comme une éponge. Il ne la rendra pas en fraîcheur, ne l'offrira pas en irisations. Il la prend, la garde, s'en nourrit; il est affamé, avide, avare de cette humidité merveilleuse. Ah! qu'il pleuve et qu'il pleuve, jamais le miracle ne lui semblera suffisant. Et toujours, le lichen épanouira davantage ses plis et replis, nageoires onduleuses.

Le printemps est favorable aussi à l'éclosion des regards d'amour. Jamais je n'oublierai l'un d'eux, cueilli au mois de mai.

Certains jours, le dimanche, ou pendant les vacances, nous nous donnions le mot, ou bien l'idée nous poussait en même temps; et, les uns à bicyclette, d'autres en tramway ou en autobus, nous nous rendions chez nos grands-parents, à la campagne.

Des nièces de maman se joignaient à nous; elles étaient nos

cousines, mais aucun lien de parenté ne les reliait aux neveux et aux nièces de notre père. Néanmoins, grand-père et grand'mère nous accueillaient tous, je ne sais trop pourquoi. Grand'mère parlait peu, elle se contentait de nous préparer du café et des tartines à quatre heures et elle obligeait ceux d'entre nous qui se mouillaient en jouant près de l'étang, à changer de chaussures et de vêtements. On voyait qu'elle aimait beaucoup Lucienne.

Nos jeux s'éteignirent avec les vieillards, et je ne me souviens plus très bien ni des jeux, ni de mes grands-parents. Je sais seulement que grand-père, en sabots, ressemblait plus à un jardinier très âgé qu'à un magistrat retraité. De grand'mère, m'est resté son silence.

Non, je ne me souviens plus de nos jeux. Mais je me rappelle le souffle de nos jeux. Nous y abandonnions notre propre personnalité. Des aînés aux plus jeunes, nous vivions là sur un plan de rêve, avec des chansons que nous composions, qui n'avaient de sens que pour nous-mêmes, et si fugitives que nous les avons toutes oubliées.

Un été, Hubert et l'une des nièces de maman ne s'étaient guère quittés. Nous chuchotions qu'ils s'aimaient et s'épouse-raient. On n'osait leur en parler. Aucun de nous ne se permettait la moindre allusion. Cet amour deviné régnait sur nos jeux. Tous deux atteignaient dix-neuf ans. Elle, c'était Lucienne. Elle seule disposait d'une petite auto qu'elle conduisait elle-même. Elle emmenait parfois les plus petits, tout en leur défendant de remuer leurs pieds boueux : « Oui, je te prends en auto. Mais tu ne saliras pas mes coussins. » Hubert était pauvre. Il avait commencé des études et beaucoup d'années passeraient avant qu'il ne se mette à gagner de l'argent.

Un jour, nous apprîmes que Lucienne partait pour un long séjour en Angleterre. Puis, aux vacances, ses parents l'emmenè-rent en voyage. Elle et Hubert ne se rencontrèrent plus... Elle venait encore quelquefois, avec sa mère, en visite chez grand'mère, et alors, elle nous rejoignait au jardin. D'autres fois, Hubert arrivait, mais jamais plus ils ne se voyaient. Comment les parents savaient-ils quel jour Hubert serait là? nous l'ignorions. Combien de temps s'écoula ainsi? Il me semble que plusieurs années parurent, dansèrent, s'enfuirent, sans que jamais ils se fussent revus.

Enfin, cette même année dont l'automne humide devait donner la mort à nos grands-parents, le printemps, par un dimanche de mai, réunit chez eux, dans le jardin, Hubert et Lucienne, et la fin de ce jour-là se dessine dans ma mémoire, avec une grande netteté.

Ils ne cherchèrent pas à s'isoler. Ils jouèrent avec nous comme autrefois.

Comme autrefois, nous avions apporté des flageolets, des guitares, et Hubert, son accordéon. La voix de Lucienne était devenue très belle et les plus jeunes chantaient mieux aussi. Nous tentions de ressaisir nos chansons des autres étés. Mais elles semblaient fuir nos lèvres et s'effacer, au moment où nous pensions les atteindre.

Nous en reprenions un refrain, une phrase que chacun avait retenus, mais le début manquait ou bien la fin.

« Oh! rappelez-vous celle de notre promenade au bois de bouleaux, elle était si jolie!

— Oui! Oui! la chanson du bois de bouleaux. »

Les doigts d'Hubert cherchaient l'accompagnement sur le clavier de son accordéon... une bribe revenait, une bribe aussi aux lèvres de Lucienne, mais l'âme même de nos chansons nous échappait toujours, et nous ne nous rendions pas compte de la mélancolie d'avoir si vite oublié tout cela.

Puis, lassés de ces vaines tentatives, nous nous étions assis au bord d'un petit bois de sapins. La tiédeur du jour s'y attardait, alourdie d'odeurs résineuses. Nous devisions des choses qui nous intéressaient et aussi, des projets de chacun; et déjà, ces projets nous dispersaient. Nos jeux d'autrefois nous donnaient le même rêve. Aujourd'hui, avec nos chansons, nos jeux et nos rêves avaient disparu. Et chacun se retrouvait soi-même, au seuil de la vie.

Pourtant, dans tous nos cœurs, une question battait des ailes... et nous n'osions la libérer : « Est-ce fini?... Hubert et Lucienne ne s'aiment-ils plus? » Et une tristesse sans nom, comme jamais plus je n'en ai ressentie, tombait avec le soir.

Vers sept heures, on entendit appeler : « Lucienne! Lucienne! Il est temps de partir. »

Elle soupira :

« Mes parents s'en vont... »

Alors tous, lentement, en silence, nous nous dirigeâmes vers la maison...

Soudain, au moment où nous parvenions en vue du perron, Hubert et Lucienne se regardèrent. Une sorte de rayonnement s'accrocha d'un regard à l'autre, et, sans dire un mot, ils se rapprochèrent. Hubert la prit par la taille, l'entraîna et ils se mirent à fuir, tous deux, à fuir. Nous les vîmes franchir la petite grille du fond, obliquer dans le chemin sablonneux, puis disparaître derrière un taillis de bouleaux bourgeonnants.

Là-bas, à la maison, on appelait toujours : « Lucienne! Lucienne! il est temps de partir! »

Quand vous verrez le matin s'avancer en faisant la roue, quand midi s'arrondira, bleu et vert, dansant dans la chaleur, quand l'étang se couvrira de ses nénuphars, pour se garantir du soleil trop altéré de l'après-midi, pensez que mai vous a donné tout ce qu'il pouvait, à travers les obstacles entassés par l'anti-mai. Ce que ce mois n'a pu vous livrer, reste en stock, dans ce lieu d'azur où nous avons pénétré, et qui est peut-être bien le lieu des souvenirs laissés dans le cœur des hommes par tous les mois de mai de leur enfance.

Les matins bleu-paon appartiennent à juin.

JUIN ET LE SOLSTICE D'ÉTÉ

Juin bleu-paon, pour la joie de nos yeux, s'épanouit en formes rondes, en disques, en globes, en anneaux. La reine des prés y règne, couronnée de perles blondes, le long des fossés; les milliers de petits dômes odorants des tas de foin sont dressés chaque soir, pour éviter aux herbes presque séchées l'abondante rosée du matin; l'ombre arrondie des arbres, sur les étangs, tourne autour de la journée, atteignant, caressant et délaissant tour à tour, les feuilles circulaires des nénuphars. Les fleurs blanches épanouies sur l'eau sont devenues des nids de soleil où des rayons ont déposé la plume vermeille des étamines. Voici les cerises rondes, les cerisiers en boule d'où jaillissent les anneaux mouvants d'étourneaux pillards; voici les grains de groseilles, piqués d'un point noir; voici le vent bombé qui roule sans rien accrocher, ni déchirer. Quand l'orage menace, les lacets nerveux des hirondelles bouclent des tourbillons de nuages; les fouillis de têtards écrivent dans les mares, en notes noires, le chant d'adieu du printemps; parfois aussi des grêlons rebondissent... Mois de juin... en rond, en rond, dans un vertige de lumière, nous traversons le cœur de tes journées, car le soleil est presque vertical et plaque au sol, sous les arbres, des disques de lumière, vibrants et tremblants comme des reflets d'eau courante.

Si, tout éblouis, nous pénétrons le matin dans un bois, nous le trouverons encore comblé d'ombre verte. C'est parce que les rayons obliques se sont arrêtés aux fourrés des lisières, où ils travaillent à diverses floraisons. Il faut que juin monte, monte, vers l'heure de midi, jusqu'à ce que le soleil soit si haut qu'il puisse se glisser avec lui, le long des troncs. Voilà le beau mois de juin debout sur le sol du bois, cillant à sa propre lumière. Il marche à tâtons parmi les arbres et les buissons. Partout où ses pieds se posent, des clartés jaillissent et ce qu'il touche de ses doigts s'anime de soleil. Tout le bois est bientôt illuminé de lunules d'or. Arrivé aux lisières, juin voit, s'élançant aux buissons, des fleurs rayonnantes dont chacune a la forme d'une trompette thébaine, et sonne l'été. Juin sait que c'est le chèvre-feuille, et, pour l'admirer, il s'arrête si longtemps, que le bois s'emplit enfin de chaleur, de clartés et de parfums.

De cette descente verticale des rayons dans les arbres, proviennent sans doute les floraisons des châtaigniers et des tilleuls. Leur dôme garde longtemps des reflets de soleil. Juin mène aussi à maturité les semences de peuplier. Les duvets glissent tranquillement dans l'azur, au gré des courants chauds du ciel de la Pentecôte.

La plus belle des formes rondes de juin est celle de la nuit de la Saint-Jean. Elle glisse lentement sa lumière tout autour de l'horizon. Peut-être est-ce la bague nuptiale du printemps et de l'été.

*
**

Dans un village voisin du mien, le soleil de juin s'est fait complice de trois gamins, dans une aventure fameuse.

La grande lumière du solstice flatte le coq du clocher, lui lustre son plumage de cuivre, mais montre cruellement l'usure des vieilles ardoises. La « Fabrique d'églises » va-t-elle continuer à refuser les réparations nécessaires? Le clocher est à quatre pans: le côté de l'ouest pourri par les pluies; l'est, effrité par la morsure des vents secs; le nord, entamé par une tempête, et le sud, rôti par les soleils de juillet... Jamais M. le curé n'a vu tout cela comme aujourd'hui! Il aperçoit toutes les fentes qui se sont produites entre le gîtage et le recouvrement... des corneilles en profitent pour faire leurs nids jusqu'au-dessus des cloches, qu'elles salissent de fientes! Un scandale, un vrai scandale... Si M. le curé possédait quelque fortune personnelle, il n'hésiterait pas à faire lui-même les frais de réparation, et à se passer du conseil de fabrique...

Les nuits de gros temps, les jours de neige, le curé souffre en pensant que toutes ces intempéries viennent aggraver les blessures des ardoises, et quand les trois enfants de chœur ébranlent trop violemment les cloches, M. le curé devine que le gîtage gémit... il en a mal dans tous ses os. Et s'ils interrompent brusquement leurs sonneries, pour épier les corneilles, le curé s'imagine qu'une cloche s'est détachée de la poutre vermoulue, et leur dégringole sur la tête.

Ce jour de juin, donc, M. le curé soupire tristement et regarde encore le clocher, avant de rentrer à la cure... sans se douter du tour que préparent les enfants de chœur. Ils sont trois, on les a surnommés « le drapeau belge » parce que, inséparables, le premier est noir de cheveux, le second, blond, le troisième, rouge. Vous vous imaginez que c'est ce Janneke roux aux yeux d'or bruni, pailletés de malice, qui combine les expéditions? Non, c'est ce doux blondin de Verlinde, au visage rose, aux yeux d'ange... et le seul des trois, qui, plus réfléchi, et peut-être un peu craintif, mette parfois un frein aux fredaines, c'est Émile, ce noiraud, dont un ancêtre dut être importé par les armées du duc d'Albe, et qui a l'air d'un enfant de brigand maure.

En ce moment, ils méditent de dénicher des corneilles. Le gros nid, là, à droite des cloches. Il contient trois jeunes, prêts à prendre leur vol. Un pour chacun des trois gamins.

« C'est long à apprivoiser, des corneilles, dit Verlinde, mais, une fois qu'elles vous connaissent, elles vous suivent partout. Mon grand-père m'a raconté... quand il avait mon âge, il a si bien dressé une corneille, mon vieux, qu'elle l'a un jour suivi jusqu'à l'école! Elle est entrée par la fenêtre et s'est posée sur son épaule, pendant la leçon de calcul... Le maître faisait un nez et tous les garçons riaient... »

Cet exemple décide Émile lui-même. C'est dit, on tentera l'escalade cette après-midi, après l'école... M. le curé doit se rendre à Malines, ils le savent... et ne rentrera que vers six heures... et ils ne diront à personne d'où viennent leurs corneilles. Les voilà tous trois dans le clocher. Le soleil de juin glisse ses doigts rayonnants le long des fentes, il leur indique le nid : « Là, voyez! Vous vous accrocherez à cette traverse, vous enjamberez cette poutre. Vous vous tiendrez de la main gauche à cette barre de fer, vous n'aurez qu'à étendre la main droite! »

« Tout ce qu'il y a de simple, dit Verlinde... Je saisirai les trois corneilles, une à une, je les fourrerai dans un sac, je passerai le sac à Janneke, et toi, Émile, l'œil appliqué à une grosse fente, tu feras le guet, si les grands corbeaux arrivent, je me sauverai... Tu comprends, ils n'aiment pas que l'on prenne leurs petits? Ils pourraient m'attaquer. »

A ce moment, le couple revint, porteur de quelques oisillons ou de quelque nourriture dérobée... Aussitôt qu'ils eurent repris leur vol : Maintenant! crie Verlinde.

Quittant l'échelle, le gamin se dirige habilement et prudemment vers le nid... puis, s'arrête interdit... quelques minutes ont suffi à ce malin soleil pour déplacer ses doigts dorés. Le nid est plongé dans des ténèbres d'autant plus opaques que des raies étincelantes strient toujours le clocher. Mais, cette fois, ce sont des toiles d'araignées que le soleil indique de ses doigts d'or : Janneke, frappé d'admiration, se récrie :

« Oh! Voyez, voyez! comme il y en a... une toute rouge, une, toute jaune de soleil! et jusqu'en haut, comme les drapeaux, le jour de la noce d'or des Verstrepe!

— Tais-toi, idiot, chuchote Verlinde, tu vas réveiller les oiseaux, et, s'ils crient, les vieux rentreront!... Il faut que j'attende un moment, je ne vois plus le nid, je suis tout ébloui. »

Émile, l'œil à la fente, examinait consciencieusement les alentours... Il voyait du soleil partout, jusque dans la cour de la vieille tante Virginie, jusque sur le toit de sa sombre boutique, comme s'il voulait entrer là, pour lécher tous les bonbons sucrés de ses bocaux! Et puis, voilà, plus loin, la maison des parents Verlinde... une grosse maison, et dans la cour, un homme qui roule un tonneau...

« ... Pas moyen, grogne Verlinde, il faut que j'y voie mieux. Plus j'attends, et plus le soleil s'éloigne du nid. Heureusement, j'ai des allumettes... »

Émile, médusé, regarde toujours; oh! les hauts peupliers du château... et la rivière, qui serpente... et l'étang du vannier, et...

Soudain, une grande lumière, à l'intérieur du clocher... Frrt... Les toiles d'araignées ont pris feu... l'allumette de Verlinde! Bouche bée, les trois gamins regardent flamber... Mais, voilà que les jeunes corneilles, réveillées, piaillent, une poutre se met à fumer... « Vite, vite, hurle Verlinde, filons! »

Descendre les échelles, se glisser à travers le cimetière, sauter le mur, après s'être assuré que personne ne les verrait. (Heureusement tout le monde est aux foins) et courir, d'un élan, jusqu'au petit bois, derrière le château...

Émile est éperdu : « Et si tout flambe?

— Personne ne saura que c'est nous... répond Verlinde d'un ton fanfaron... et puis, imbécile, est-ce que tu crois que le clocher va flamber pour quelques méchantes toiles d'araignées? Mais il s'agira de tenir sa langue, les gars! »

Le soleil, tout narquois, les regarde à travers les feuilles bruissantes des peupliers... éteint? Ah, bien oui!

Tante Virginie ne délaisse jamais sa boutique, pas même un jour de fenaison... Après l'école, souvent, des petits enfants viennent lui demander pour deux sous de friandises ou des billes... Mais qu'il fait donc chaud, dans l'arrière-boutique, et dans la courette... A la rue, le soleil vertical permet à une mince bande d'ombre de s'assoupir le long du mur... Tante Virginie, pieds nus dans ses savates, traîne une chaise jusque-là. Munie d'un vague ravaudage, elle s'installe confortablement, en équilibre sur deux pieds de la chaise, le dossier appuyé au mur, et elle somnole, un peu éblouie par toute cette clarté.

Ah! elle a raconté cette histoire une multitude de fois... pendant huit jours, à tous ceux qui entraient dans sa boutique.

« ... Vraiment, *quelque chose* m'a dit d'ouvrir les yeux et de regarder l'église... et qu'est-ce que je vois? non, mais, pensez!... je vois... (je croyais rêver; parce que, quand il fait très chaud, l'après-midi, une personne raisonnable peut bien dormir parfois l'espace d'un moment), je vois une légère fumée qui s'échappe de la tour... je me frotte les yeux... oui, oui, une légère fumée! puis soudain une vraie bouffée, comme le train en souffle... Je ne fais qu'un bond, même que ma chaise est tombée et s'est cassée... et qui me payera ma chaise? personne, soyez-en sûr! et, quoique les jambes coupées de saisissement, j'ai couru, en criant : « Au feu! au feu! le feu est au clocher! » Le patron du Bon-Accueil m'a entendue d'abord... et vous savez, ce qu'il a osé me répondre? « Bah! laissez brûler... pour ce qu'il vaut encore. » — « Mais, dis-je, et les chaises? et les vases, et les statues, et le Bon Dieu? » — « Ça, c'est vrai, dit-il, je n'y pensais pas, appelons le sacristain! car le curé est absent. » Oui! allez-y voir, le sacristain fanait dans le pré du couvent! Pendant ce temps, ça brûlait comme paille...et on n'avait toujours pas la clef pour entrer par la sacristie. Pas moyen par le porche! du feu vous y tombait sur la tête... Et soudain, au moment où les gens accouraient de partout : boum, boum, brrrrr les deux cloches tombent, puis le clocher s'effondre par l'intérieur, tout droit, sans même toucher la toiture de l'église!

— Et alors, madame Virginie?

— Alors, le sacristain est revenu, on a apporté la pompe, on a vidé tous les puits... et on a arrosé les décombres.

— Et M. le curé?

— Quand il est entré, tout était fini... plus de clocher!

— Mais, que disait-il?

— Rien : « Seigneur... Si cela devait arriver, eh bien... alors » et des choses comme cela, et ce qu'il était rouge! »

*
**

Le président du conseil de fabrique, c'est le brasseur Verlinde, père du fameux enfant de chœur.

« Eh bien, dit-il, monsieur le curé, me remercierez-vous maintenant? Si nous vous avions écouté, c'étaient des ardoises neuves qui flambaient! au lieu de ces vieilles craques... et vous aurez un beau clocher neuf aux frais de l'assurance! »

M. le curé répondit : « Dieu soit loué, tout est bien... mais comment le feu a-t-il pris?

— Par un corbeau... La vieille Virginie en a vu un qui rentrait, les ailes en flammes; peut-être la bête s'était-elle trop approchée d'un feu de broussailles? et qu'elle ait voulu retourner ainsi à son nid... »

*
**

Le petit Verlinde a fini par rentrer.

« As-tu vu l'incendie? demanda sa mère.

Verlinde n'aime pas à mentir, à moins qu'il ne le faille absolument.

— Nous avons passé l'après-midi au bois du château. Cela fume encore, mère...

— Le curé en a de la chance! dit le père... depuis deux ans, il nous scie les côtes à en perdre la salive : « Les ardoises usées, et les nids de corbeaux, et les poutres vermoulues », et jusqu'à vouloir s'endetter... et moi? je refusais : Non, monsieur le curé; non, non, et non... Voilà que ce bienheureux incendie arrange tout. Si la corneille qui a mis le feu n'était pas morte, je lui offrirais pour cent sous de viande...

— Oui, sans doute, dit la mère, mais moi, de voir le clocher en flammes, j'en avais la chair de poule, et froid dans le dos... »

Verlinde père fume sa pipe, assis dans le courtil. Le malicieux soleil n'est pas encore couché, il fait encore danser des moucherons, il pose encore ses doigts sur le haut des toits.

Verlinde fils regarde son père de ses yeux bleu d'ange...

« Père? les cent sous de la corneille? c'est vraiment une bonne affaire, cet incendie du clocher?

85

— Je te crois... une chance comme il n'y en a plus. Ça va rapporter des mille et des mille au village. L'ardoisier, le charpentier, les maçons... sans compter pour nous-mêmes toute la bière que boiront tous ces ouvriers.

Le soleil pense : « Ça tournera bien pour le petit », et s'endort sous l'horizon.

— Père, petit père, donne-moi les cent sous!

— Toi? morveux! cent sous? Pourquoi? tu n'as pas mis le feu au clocher... »

— Si, justement, père... mais pas exprès... »

Oui! la tendre bouche rose et fraîche a proféré ces mots-là! Le père Verlinde fait un bond, il secoue l'enfant, tout étonné, le lâche brusquement, puis il gronde : raconte tout!

L'enfant défile le chapelet : les corneilles, et grand-père et l'allumette et les toiles d'araignées...

« ... Et personne, personne ne nous a vus et sans les cent sous que tu offrais, père, je ne te l'aurais pas dit non plus.

Le père fumait comme une locomotive.

— Nom de nom, de nom, de nom, de...

— Eh bien, père?

— Non! tu n'auras pas cent sous! Tu es un vilain merle... L'assurance doit payer en tout cas, même un incendie causé par une imprudence d'enfant; mais toi et tes deux vauriens d'amis, vous iriez en prison jusqu'à dix-huit ans... tu comprends? ... et file et va les avertir tout de suite... Nom de nom de nom! ... et pas un mot à mère! »

Verlinde fils cligne des yeux d'ange effrayé, et file comme un lièvre.

Et puis? et puis, vraiment personne ne l'a su... mais maintenant, Verlinde fils a dix-huit ans... il n'a plus rien à craindre, il fait des études d'ingénieur brasseur. Il a lui-même raconté cette fameuse histoire à des camarades, un soir qu'il était un peu émoustillé : un des camarades l'a répété à mon fils... Et moi qui croyais encore à l'histoire des corbeaux de tante Virginie! Quant à la Compagnie d'assurance, elle s'était décidée pour un

« court-circuit »... Elle a gardé son idée.

Allez-y voir : les ardoises neuves disputent au coq l'éclat offert par le soleil malicieux, et les rayons ont beau chercher, ils ne trouvent plus une fente où glisser leurs doigts d'or. Le roux Janneke est devenu épicier, et ce jeune conquistador d'Émile, employé du fisc.

*
**

Il ne suffit pas de regarder le mois de juin, pour en épuiser les délices. Il nous faut en reconnaître les saveurs. Il a comme image et comme symbole les cerises bigarreau. L'aube rouge et les matins blonds les déposent, comme une rosée, au creux des feuilles. Ne ressemblent-elles pas à une belle journée? Leur pelure est pareille à la fraîcheur des fins de nuits, à cette heure hâtive où l'aube prend des teintes cerise. A leur chair d'or, nous buvons les matins encore liquides et satinés, puis nous trouvons les noyaux... et nous pensons aux midis durs dont on croit entendre les rayons blancs heurter les volets fermés.

Pour les joies du toucher, nous épierons les travaux de juin : il glisse à ses doigts, comme dé, la fleur de digitale, et il coud la robe de l'été. Les chênes ont le feuillage tardif, juin leur préparera des volants de feuilles, afin qu'ils puissent participer aux fêtes du solstice. Juin assemblera aussi, harmonieusement, tous les carrés, tous les lopins rectangulaires qui s'éparpillent dans les champs; il joindra le vert sombre des pommes de terre au bleu aérien des seigles, et la richesse trapue des froments, au vert naïf des trèfles. Il capitonnera d'odeurs ces nuits, si lourdes de parfums, qu'on voudrait cueillir l'air, à brassées, et s'endormir, les bras pleins d'espace odorant.

Alors juin dépliera sur nos plaines les beaux jours ainsi cousus et il allongera encore la traîne des crépuscules. Ce travail du toucher aboutit donc comme toute chose, en ce mois, à la célébration du solstice. Quand sonne la Saint-Jean, juin, la digitale aux doigts, coud, dans la nuit claire, le soir bleu et le matin d'or, et dresse un dais de lumière, pour accueillir l'été, couleur de bleuet...

Ah! que d'êtres feuillus et fleuris se disputent les préséances des parfums en juin! Les forces dominantes sont pourtant celles de l'étang serti de plantes et du tilleul ruisselant de pollens. A l'heure où l'on pressent un lointain orage, surtout, le tilleul tisse un voile d'odeur si épais, que pas une autre senteur n'y trouverait place si l'étang ne le trouait d'un évent vaseux piqué d'algues, poivré de sauges et acidulé de lentilles d'eau remuées par les poissons qui s'agitent et sautent.

La nuit, les tilleuls chargent et rechargent les tabliers sombres de la chaleur; ils les encombrent de leurs dômes sucrés, luisants, collants. Mais l'étang recueille dans sa nappe d'eau le ciel étoilé, le baigne de fraîcheur, et le vent, en passant dans les roseaux, reçoit, puis éparpille leur parfum d'encens refroidi.

Les tilleuls croient être vainqueurs vers le milieu du jour. Midi, asservi, dort comme un chien dans leur ombre, et les foins eux-mêmes, malgré leurs relents multiples, leur cèdent. Mais des reflets d'eau glissent le long des menthes, au bord de l'étang, les caressent, et en tirent un arome si frais, que le soleil, miré dans l'eau, y reste et se balance parmi les plantes gonflées de sucs.

*
**

J'imagine que je rentre d'un grand voyage à travers le monde entier. On m'a bandé les yeux, j'ignore la latitude où je me trouve, la saison qui règne et jusqu'à l'heure qu'il est. J'entendrais seulement un bruit d'ondée et la rumeur du vent qui l'essuie sur de grands arbres...

Savez-vous ce que c'est qu'une averse, vers le soir, en juin, quand tout a bien soif? Ces arbres sur lesquels j'entends pleuvoir sont des hêtres, leur feuillage est au maximum de son développement, de sa saveur, de sa souplesse. Ce bruissement sur le sol n'est pas une chanson coulante, mais un bruit de déglutiton, et cette terre est un bel humus, sans un gravier, sans un caillou. Je dois me trouver près d'un étang, car la pluie frise une eau dormante, crépite sur le caoutchouc des nénuphras, et s'égoutte des roseaux. Je sais qu'après l'averse, des nuées se dérouleront, que l'herbe longue et le feuillage trempé voileront les chemins, comme une chevelure moite, après le bain, colle au visage.

Je sais que l'appel des ramiers sauvages attristera, dès l'aube, le bois encore tout palpitant d'averse...

Otez mon bandeau!... il est inutile; nous sommes à la mi-juin, le soir tombe, et la plaine qui m'entoure est celle où je naquis.

*
**

Un dicton assure qu'à la Saint-Jean les avoines sont en grelots et les seigles hauts.

Dès le début de juin, un carré de seigle, vu de champ, montre, déjà, de nœuds en nœuds, des tiges à trois étages. Et chaque étage est d'une teinte un peu différente allant du vert d'eau au vert bleuté, en passant par le vert azuré. La légèreté de ces couleurs est telle qu'on les dirait rendues visibles seulement par le grand nombre des tiges. Mais, si l'on en cueille une, on est étonné de voir qu'isolée ainsi, sa couleur semble plus lourde que celle de l'ensemble des tiges. C'est parce qu'elles reluisent. La clarté du ciel les anime et leur donne leur aspect aérien. Un hérissement d'épis se déroulera à la surface du champ, un hérissement fait de tous les épis à longue barbe. Plutôt que *barbes*, je voudrais les nommer élytres, ailes, *antennes*, car le seigle, au vent, crisse doucement. Un champ de seigle, c'est un essaim d'abeilles-à-farine.

Bientôt, en effet, la fleur chargée de pollen s'ouvre. La fleur du seigle, légère, parmi toutes les antennes rêches, est flaireuse de vent. Quand la brise agite les insectes à farine, le pollen prend son vol, et ainsi, les fleurs, qui ont déjà la forme d'un grain, seront fécondées. Ah! qu'il ne pleuve, ni ne vente trop fort, pour le vol du seigle au montant de juin.

Le midi, on peut voir ce nuage nuptial danser, s'étendre, s'éparpiller, flotter, sur les champs. L'odeur est suffoquante et grisante à la fois. Les insectes à farine que sont les épis, sont retenus par leurs tiges, mais le vent de juin travaille pour la ruche des moissons.

Tout comme il y a un anti-mai, il existe un anti-juin. C'est « la dépression au sud de l'Islande » qui nous envoie des nuages froids, de la pluie sans douceur et un vent désagréable.

Mais personne ne croit à l'anti-juin. Bien que chaque année il nous visite, vers la Saint-Médard. Non, personne n'y croit, pas même le tilleul et les abeilles, qui en souffrent le plus; car l'un y voit engluer ses pollens, et les autres y perdent la meilleure récolte de miel de l'année. Qu'il y ait ou non *dépression*, juin va son chemin, avec sa lumière, ses disques d'or, ses champs fécondés, ses foins bruissants. Il sait que son chemin aboutira tout de même au solstice.

*
**

Un chapitre important du moins de juin sera réservé à l'herbe et aux foins. Grâce à eux, nous passerons du réel à l'irréel, et nous glisserons de l'irréel jusqu'à la nuit de la Saint-Jean, où tout est émotion et magie, comme tout est amour et rêve, dans la nuit de Noël.

Un pré. La réalité nous montre un espace limité, où l'herbe est cultivée en vue de nourrir le bétail. Des vaches y broutent, on les entend tondre l'herbe, et respirer lourdement.

D'autres prairies sont réservées au foin. Irriguées, ou nourries d'engrais dès la fin de l'hiver, l'herbe longue y ondule. En juin elle sera fauchée, puis séchée au soleil, et, l'hiver prochain, elle servira de nourriture aux bestiaux... Attention! nous sommes en train de quitter la réalité directe. Nous voyons, certes, les hautes herbes agitées par le vent, mais l'idée de fenaison, celle des greniers où l'hiver les conservera, l'évocation de l'étable sombre et chaude, où les vaches ruminent l'herbe sèche, réservoir de toutes les jeunes forces, de tous les parfums printaniers, c'est déjà presque du rêve, et ce n'en est pas moins la vérité. Pour nous imaginer cette étable d'hiver avec ses odeurs et le paisible remuement animal, il a suffi de nous déplacer, mentalement, dans le temps, de nous reporter, en idée, vers l'hiver passé, ou de courir à la rencontre du prochain automne. Ah! en l'honneur des prés de juin, avant la fenaison, déplaçons-nous, non dans le temps, mais dans la dimension. Ramenons notre taille à celle d'une fourmi, et engageons-nous ainsi dans la forêt des hautes herbes. Elle est conforme à l'image que nous nous faisons des forêts tropicales. Les graminées à longues tiges ont la même grâce que tels arbres exotiques dont le tronc mince et long se termine par un énorme panache; les marguerites, vues ainsi à contre-ciel, cessent d'être blanches, et ressemblent à de grands soleils sombres; les feuilles du plantain prennent l'aspect de cactées gigantesques, et sa fleur, cette houppe brune, couronnée d'étamines, devient un grand œuf de bronze auquel tremble un cercle de topaze. Le trèfle rouge est un arbre candélabre avec des fleurs cierges. Les pissenlits sont plus surprenants encore : une grande rosace de feuilles, que surmontent des masses d'or, et des lunes transparentes. Le vent passe sur cette forêt et la couche, sans la briser. Au-dessus de nous, fourmis humaines, les arbres-herbes sont si courbés que nulle tornade brésilienne ne parviendrait à peser ainsi, sans les rompre, sur les arbres mystérieux qui forment les forêts vierges. Quant à la lumière, le sol de notre forêt est mille fois rayé d'or et mille fois rayé de vert. L'azur, vu à travers cette végétation immense et mince, prendre une couleur que nous ne lui aurons jamais encore vue. Si des mouches et des papillons se posent sur les graminées ou sur les fleurs, leur ombre sur nous est plus grande que celle des plus grands aigles : ainsi dut apparaître l'oiseau Roc à Simbad le marin...

Or, ce soir, au moment où les ramiers gémissent et se répondent, l'air sera martelé d'un bruit d'enclume. C'est le rythme des marteaux sur les faux. Demain, dès l'aube... ce que la tornade n'a pas fait, l'acier le fera... notre forêt vierge sera fauchée en andains réguliers. Alors le parfum de l'herbe coupée montera, par les chemins, vers les villages, il s'emparera des jardins, et se mêlera à l'odeur victorieuse des tilleuls.

Le 21 juin est donc une date très importante. Si le printemps fut une montée, une poussée de plus en plus impétueuse, nous voici arrivés au bout, et c'est bien en ce moment-ci que la saison bascule : la chaleur augmente, la canicule l'accentue encore, la nature semble de plus en plus opulente, mais l'été n'en est pas moins, après le vol nuptial du blé, après l'écroulement des herbages, une saison descendante, comme le soleil.

Tout comme la Saint-Thomas d'hiver, la Saint-Jean d'été est pleine de mystère... cette Saint-Jean d'été où Jocelyn avait coutume d'aller voir son ami... et les pas de tous les hôtes lumineux du mois de juin se sont dirigés vers elle.

Or, si les papillons de neige sont les symboles fugitifs de Noël, le plus rare des papillons de nos étés symbolise à mes yeux la nuit de l'unique rencontre du printemps et de l'été : c'est la vanesse Antiope. Ses ailes, d'un violet profond, sont toutes bordées de blanc. Une nuit de Saint-Jean sans lune est, elle aussi, veloutée et frangée de clarté; une vague lueur erre toute la nuit à l'horizon, car le soleil frôle l'obscurité, dans sa course oblique de quelques heures. La nuit, posée aux fleurs des étoiles, atteint à peine le zénith, que déjà, fatiguée, elle bat des ailes et disparaît. Antiope, reine des Amazones, est de nouveau vaincue par le solaire Hercule.

*
**

Nous voici donc debout, à minuit, au solstice d'été, dans une plaine cultivée. Regardons le ciel. Dès maintenant, nous nous rapprochons de l'automne. Et nous pensons à cette paysanne qui disait : « Après les foins, tout est fini...

— Tout est fini... quoi?

— Tout!... »

Elle ne savait pas s'expliquer, mais moi je la comprenais : fini tout ce qui est prévoyance, en épousailles, en devenir, en espérances, tout ce que l'on peut attendre. La nuit de la Saint-Jean est une nuit de renonciation. A partir d'aujourd'hui, il nous faudra quitter peu à peu tout ce que nous a donné la lumière; consommer un à un les fruits qui nous furent promis, et s'ils furent mal fécondés ou mal conçus, s'ils ont raté, tant pis! il est trop tard pour recommencer. Arrivés à ce sommet de lumière, de parfums, d'abondances, il faut accepter que chaque jour, désormais, nous en reprenne quelque chose. Oui, les foins sont rentrés, et bientôt les moissons seront faites, les seigles, puis les froments, puis les pommes de terre... Oui, la nuit de la Saint-Jean, cette immense, cette unique vanesse Antiope bleu foncé, bordée d'aurore, s'est envolée.

Ainsi cette fête miraculeuse du solstice est une promesse d'obscurité, comme la fête de Noël est une promesse de lumière. Le soleil d'aujourd'hui dit : je pars, et le soleil du 21 décembre dira : Je reviens.

Tous les fruits sont noués, tous les grains sont formés, tous les porteurs de nageoires ont jeté leur frai, toutes les porteuses d'ailes ont couvé leurs œufs, toutes les porteuses de mamelles ont mis leurs petits au monde. Maintenant, il faut travailler à nourrir, à élever tout cela. J'ouvre le « Mémorial du Naturaliste » :

« La plante dédiée à la Saint-Jean d'été est le laiteron. » Le laiteron? Ah! je me souviens, c'est une fleur jaune d'œuf, et la tige en est gonflée de lait comme un sein.

SOLEIL DE JUILLET

Les rayons ont séché la nuée des aubes, la rosée des aurores, la buée des soirs, puis ils ont épuisé toute cette moiteur des pays à ondées, toute la mouillure éparse dans l'atmosphère. Alors, le soleil s'attaque à la masse des eaux dont luisent nos plaines. Il s'appuie à tous ces miroirs mouvants ou immobiles, et il boit, comme du bétail à l'abreuvoir.

Les fossés, aux plis des champs; les mares, dans la paume des prés; les étangs, au creux des bois; toutes les eaux détachées de la traîne des pluies, et que ne desservent et ne renouvellent pas les marées, sont en danger de tarir. On voit leur surface se rétrécir, et, sur leurs bords, des plaques d'herbes aquatiques, flétries, montrent la trace des pas brûlants du soleil, quand il s'approche et se désaltère.

Pour se défendre de cette soif, l'eau entasse des étages de plantes. Sagittaires, joncs, lentilles, et surtout des nénuphars souples, aux lourdes feuilles vertes et rouges, avec des fleurs destinées à capter dans leurs cœurs les rayons du soleil. Pendant les jours caniculaires, le fond de l'étang envoie sans cesse des feuilles et encore des feuilles; elles se dressent, se poussent, se bousculent, en touffes de plus en plus épaisses. Les rayons solaires s'égarent parmi ces forêts humides, glissent sur leurs bombures luisantes, et ceux qui parviennent jusqu'à l'eau ne sont plus que des lueurs errantes et désarmées.

En dessous, dans le fouillis des plantes, passe le mouvement paresseux de quelques carpes. Elles bougent, tout endormies, comme des somnambules, et heurtent parfois les tiges. Alors, nous voyons frémir les feuilles et les grandes fleurs.

Ainsi protégé, l'étang s'engourdit. Il n'entend plus le cri des hirondelles, ni le bruissement des moustiques; il ne voit pas les anneaux azurés des libellules accouplées; il ne se doute pas du déroulement des feuilles de tussilage qui l'entourent. L'ombre caressante des saules ne l'émeut plus; il ne sait pas que les bardanes composent leurs pelotes piquantes, ni que jamais les roseaux n'ont été aussi touffus, aussi beaux.

De temps en temps, des poules d'eau, suivies de leurs poussins, courent à travers le labyrinthe des feuilles, et leurs pattes légères y font un bruit de grêle. Alors, l'étang, plongé dans la sieste d'été, l'étang, qui ne sait pas pourquoi les nénuphars frissonnent, les entend vaguement, et rêve que revoilà les bonnes averses d'automne.

Comment, au mois de juillet, ne pas parler longuement des roseaux? Ils bordent les regards des fleuves, des rivières, des étangs, ce sont vraiment les cils des eaux. Nous les joindrons, non à la famille des amies-de-la-pluie, mais bien au groupe des tiges dociles-au-vent. En voyant onduler leurs masses nous pensons au peu de semaines qu'il leur a fallu pour atteindre cette splendeur.

La caresse des eaux neuves et printanières, effleurant les limons, a réveillé les roseaux. Leurs pousses encore gainées ont paru, montant de la vase, puis, rapières nues, se sont élancées afin d'atteindre la surface fuyante ou dormante des eaux. Ils ne savent encore rien du vent, leur grand compagnon; ils ne connaissent du soleil qu'une lumière réfractée et refroidie, des lunules rampantes sur le fond de l'eau, ils ignorent les jeux d'ailes des oiseaux aquatiques. Seule, une vie minuscule s'agite autour d'eux : larves, insectes, vermisseaux suscités par la détente de la gelée. Parfois, au-dessus de ce champ de roseaux en germination, un brochet vient se suspendre au plafond d'eau. Il est mince, vert, aigu, effilé d'acier, peut-être est-ce pour donner

96

aux pousses des roseaux une image des feuilles qui leur vien-dront.

On aime à s'imaginer que la pointe du roseau, en perçant l'eau, fait un bruit de fêlure. Peut-être, en se penchant sur un étang silencieux, par une nuit de mai, percevrait-on ce prodige... Un matin, on voit que mille pousses acérées, d'un vert bleuté, ont brisé la surface de l'eau. Déjà la première feuille se détache, le fût monte, et une seconde feuille s'écarte, encore raide, et recueillant à son aisselle toutes les gouttes de pluie qui perlent à sa surface. Ainsi, dans le printemps, s'élancent nos roseaux, montant, comme les buées matinales, ou comme l'alouette. Bientôt, la rousserolle trouve à y bâtir son nid, le chant du rossignol-des-roseaux crépite et rebondit; les aînées des feuilles, très longues, se coudent, tandis qu'une houppe brune paraît au sommet de la tige. Désormais, les roseaux épouseront les jeux du vent. Ils se mêleront aux tempêtes d'octobre, et se gorgeront de pluie jusqu'à en fléchir... Mais nous ne sommes encore qu'au mois de juillet, et les roseaux, touffus, pieds dans l'eau et tête au soleil, boivent la fraîcheur, la lumière, la chaleur et l'azur. Le vent s'y pose, les flatte, les caresse, et même quand les eaux ignorent les courants aériens, quand les nuages semblent immo-biles, les roseaux bougent imperceptiblement en l'honneur du vent.

Les plantes amies du vent ne sont pas très nombreuses. Ran-geons-y avec les roseaux, l'oyat, cette herbe des sables, et le panicaut, ou chardon des dunes. Mais chacune accueille diffé-remment le visiteur ailé. Si le roseau obéit à la brise, l'oyat y siffle et le chardon s'y agrippe silencieusement. Le roseau se soumet toujours : souvenez-vous de ces grandes vagues vertes au bord des rivières; mais l'oyat s'y plaît de toute sa force rugueuse, sablée, presque métallique. Le chardon pose une énigme : il aime certainement le vent, mais pourquoi semble-t-il toujours sur le point d'en mourir? Décoloré, crispé, à demi enseveli dans le sable? Peut-être est-ce cela : il l'aime à en mourir.

N'oublions pas un grand et fidèle camarade du vent de juillet : le tussilage. Avec lui, le vent redevient écolier. On se flanque de bonnes, grosses, larges claques, à pleines feuilles, à pleines volées, et cela finit par des éclats de rire. Car l'été seul voit l'épanouissement des énormes feuilles. Elles ont eu soin d'envoyer, en éclaireuses, leurs fleurs trop dévouées.

Glissons-nous dans la nuit de juillet. Elle est touffue de tiédeur et de parfums. On a l'impression que, pour s'y mouvoir, il faut se frayer un passage parmi des présences mystérieuses et indéterminées. Passons par des lieux boisés, prenons le chemin qui longe des jardins, suivons des sentiers endormis entre deux murs de blé, descendons vers des prés bordés de peupliers, les choses nous livreront un peu de leur âme.

Parmi les arbres, l'alternance de fraîcheur et de chaleur est très accentuée. Ainsi, les sapins restituent la chaleur absorbée par leurs masses résineuses, tandis que les hêtres secrètent la fraîcheur recueillie par leur ombre. Leur voisinage dans les ténèbres se trahit par des zones tièdes ou froides.

Les blés décèlent aussi leur présence à ceux qui les aiment, car toute la brûlure méridienne retenue dans cette ruche d'épis, continue à mûrir le grain. De temps en temps, un frémissement sec passe à la surface du champ. Les longues barbes-antennes crissent, mais ce n'est plus un parfum de pollen que délivre la brise, c'est une odeur de pain.

Dans les prés, l'herbe est encore rase, les fleurs n'ont pas eu le temps de remonter, depuis la fenaison; à peine offrent-ils une senteur de plantes. Mais, si peu que l'air se déplace, on entendra bruire les peupliers et, aux replis d'herbe encore humide, brillent des vers luisants. Ainsi, l'obscurité de l'herbe animée par ces

98

points lumineux, répond à l'obscurité du ciel, habitée par les étoiles. Nous n'avons pas encore contemplé les étoiles... par une telle nuit sans lune, les feuillages, les herbes et les plantes, règnent plus que les astres, et ce sont eux qui nous captivent. La pesanteur de l'air étend des voiles au-dessus de nous, l'air bouge et vibre, à cause des émanations de toute cette végétation, de la respiration de tous les feuillages. Comme les étoiles sont loin! Nous nous sentons protégés contre la nuit, car beaucoup de vies s'interposent entre le ciel et nous, beaucoup d'existences devinées : papillons nocturnes, insectes, oiseaux, chauve-souris, et aussi, renaissant dans l'espace obscur, tous les songes féeriques dont notre enfance fut nourrie.

Une rangée de peupliers se profile vaguement sur les étoiles comme une grosse nuée et nous devinons à l'horizon des nuages d'orage que révèlent les éclairs de chaleur. Parfois, la nuit de juillet permet à l'orage de monter et de se répandre. Alors, le bruit du tonnerre rejoint, dans notre ciel, la réverbération des éclairs. Mais, si l'orage manque de vigueur, le courant d'air de la marée montante ou descendante entraînera ce flot de nuages avec les eaux du fleuve. Ainsi verrons-nous glisser sur l'horizon les masses noires porteuses d'éclairs. La frange seule en balaycra notre ciel, engloutira nos étoiles, abattra les parfums brûlants, nous distribuera des averses, et suscitera, pour demain, le monde des aromes mouillés. Ah! pourrons-nous jamais, en juillet, contempler longuement les étoiles? Avant d'atteindre le firmament, nos regards sont captés par les beautés de la terre. Vers luisants, vols d'ailes et d'élytres, danse de la chaleur, jaillissement d'éclairs.

Repassons, sous le soleil de midi, par le sentier des blés, où nous avons marché sous les étoiles. Depuis l'emploi des semences sélectionnées, les seigles sont plus beaux, mais les fleurs moins nombreuses. Pourtant, voici du bluet, du coquelicot, de la camomille, de la vesce, et, merveille, une nielle, la nielle, devenue aussi rare parmi les blés que la vanesse Antiope, parmi les papillons. Haute et droite, avec son calice aux pointes vertes plus longues que ses pétales, et couleur de sang figé, elle semble plantée là pour indiquer que quelque chose finit : le temps des blés.

*
**

O fleur sauvage, jeune fille,
Pain du cœur, grâce céréale
Des blés aux yeux bleuets,
Et des prés au front camomille,
J'invente pour toi des noms-épithètes :
« Jambes-herbes, fleurs-fêtes,
Rire-coquelicot ».

*
**

Les pluies et les vents d'orage ont marqué leur passage par des places rondes, brisant ou couchant des tiges. Puis, le vent fatigué s'y est endormi. Les épis, trop chargés de grains, se penchent et se décolorent. Tout le seigle crissant, velu, mouvant, a terminé sa besogne d'été. Après le vol nuptial de juin, voici le mûrissement de juillet.

Chez nous, on fait sécher le seigle en rassemblant des faisceaux de quatre ou cinq bottes; plus loin, on confie au vent et au soleil, de doubles rangées d'une dizaine de gerbes. Ailleurs, on les pose toutes en longues files serrées, déblayant ainsi une partie des sillons. Et l'on passe déjà une charrue dans la terre hérissée d'éteules, on redonne du fumier à l'humus, et, vite, on lui propose encore de la semence de navets.

*
**

Juillet est un mois très immobile. L'évolution de la nature y est presque nulle. C'est une période statique. Si les êtres humains ne couchaient les blés, nous verrions peu de différence entre son début et sa fin. Sauf, dans les landes, où fleurit la bruyère. La transformation y est subite : hier, la plaine sombre et rêche, sans jeux, sans autres reflets que ceux des nuages, aujourd'hui, une étendue rouge, odorante, bruissante d'abeilles. La bruyère donne son renouveau fleuri au mois de juillet. Le sol des landes est si aride, le vent y est si dur, qu'il a fallu plus que le printemps pour amener l'épanouissement de la bruyère. Elle travaille au-delà du solstice, rougeoie fin juillet, et embrase tout le mois d'août. On ne sait plus bien si elle est signe d'été ou bien déjà signe de déclin.

De-ci, de-là, une étincelle bleue brille parmi la floraison enflammée de la bruyère. C'est la gentiane pneumonanthe. Elle appartient, comme la dame-d'onze-heures et le coquelicot, à la famille des amies du soleil. Elle l'aime, comme les pierres précieuses adorent la lumière, elle retient ses rayons dans le vase allongé de sa corolle, elle leur donne une valeur minérale : le bleu de certains cristaux, le bleu du saphir. C'est l'azur de la canicule, au moment où l'incandescence diminue ; le ciel, au tournant de l'après-midi, par un jour brûlant.

En juillet, le clair de lune semble intimidé par l'épaisseur des frondaisons. S'il tombait verticalement sur les arbres, comme pendant les nuits claires de l'hiver, il s'égarerait dans la masse des feuillages. La pleine lune des canicules, alourdie de chaleur, erre à mi-côte du zénith et c'est obliquement que les clartés atteignent, sous les grands arbres, le fouillis des végétations. Les rayons s'y livrent à la recherche des ficaires, des anémones, des muguets, qu'ils ont si souvent caressés, mais ne trouvent plus que leurs vieux feuillages à demi fanés. Peut-être est-ce la cause de la mélancolie répandue par les clairs de lune des nuits chau-

101

des... Des flaques blanches finissent par se former aux intervalles des lieux boisés, et, à force de tâtonner, la lumière lunaire trouve des floraisons vivantes : l'ache, l'angélique, le faux persil.

Animées par cette lumière inattendue, les fleurs deviennent fées, et bientôt, les plantes sans fleurs se couvrent de corolles de lune... nos doigts aussi, nos mains, nos bras, nos visages — ton visage, jeune fille — fleurissent soudain de lune. Peut-être des lichens de lune naissent-ils aux places où le sol nu a pu être fécondé par les rayons lunaires. Les lichens de lune vivent d'une vie éphémère; ils s'évanouissent aux premières lueurs d'aube, et disparaissent au toucher humain... c'est d'eux qu'émanent les aromes, les philtres d'amour, que l'on respire avec l'air imprégné de lune.

Ah! nous avons peine à croire que la terre caressée par la lune oblique de juillet soit vraiment la même que celle qui dansera demain dans la poussière solaire.

Le 3 juillet, dit notre « Mémorial », est la date normale du commencement des grandes chaleurs. N'est-ce pas le moment de parler de l'azur? Il est parvenu, sinon à son maximum de transparence, tout au moins à son intensité la plus grande.

Il est parfois très difficile de dépouiller les mots les plus beaux de notre langue de toute la littérature dont ils sont revêtus, surtout quand cette robe est tissée de chefs-d'œuvre. Un jour, un jeune écrivain m'a dit : « Après Mallarmé, il n'y a plus moyen d'employer le mot : *azur*, car les lecteurs qui comprennent toute la beauté de ce mot en jouissent précisément à cause du poème de Mallarmé, et les gens qui ignorent la poésie, méconnaissent la beauté du mot. A quoi bon en user encore? »

Or, je crois que par un matin de juillet, le mot *azur*, fait d'un son clair et d'un son vibrant, peut reprendre sa valeur de divinité, sans que s'interpose entre lui et nous, nul chant, nul poème, si génial fût-il.

L'ayant ainsi replacé dans un ciel sans nuages, chacun de nous retrouvera la splendeur vierge du mot *azur*... un mot unique signifiant à la fois un élément et une couleur : l'atmosphère *et* le bleu. *Terre* ne veut pas dire en même temps *brun*; *eau* et *glauque* ne sont pas non plus le même mot... ni *feuilles* et *vert*...

Tandis qu'azur veut dire aussi ciel, et bleu, et lumière et clarté et, peut-être, rêve, délivrance, espoir.

Et quel bleu! La gamme des azurs est une merveille. On pourrait y accoler cent épithètes, et il bougera, vibrera, ondoiera, évoluera, sans cesser d'être le *ciel*.

Jouons au jeu des adjectifs et de l'azur. Piquons, au hasard, dans un journal, plusieurs adjectifs... je trouve : violent, rapide, meilleur, élégant, nouveau... parons notre azur de ces robes diverses.

Violent!... Ah! précisément, l'azur violent, c'est l'azur des matins de juillet qui n'ont point de rosée. Les arbres verts et cet azur violent se mêlent. Aucun voile de moiteurs n'ondoie entre eux. L'éveil du jour éclate en groseilliers rouges, en blés craquant de sécheresse, les arbres ont atteint un vert métallique, sans douceur, ni variété.

L'azur *rapide* est celui du mois de mars. Le vent d'est a soufflé des bouffées de nuages, ils vont de plus en plus vite, comme des glaçons pris dans un rapide...

« *Meilleur, élégant, nouveau...* », ces trois mots appartiennent à un article de publicité. Si nous les appliquons au mot *azur*, quel accent ils prendront!

Meilleur. Le meilleur azur? N'est-ce pas celui que perçoit le merle le jour de Pâques, après des semaines murées de nuages? Il transparaît soudain, au milieu de la matinée, et sa douceur fait pâmer l'herbe.

Élégant? Ah! celui sur lequel se profilent les gerbes de blé rangées en longues files bien régulières... une dentelle d'une légèreté extrême, tissée par des fuseaux de rayons.

Nouveau. L'azur qui se réveille lorsque le Verseau de janvier l'a baigné d'eau froide. L'azur nouveau nous sourit, l'après-midi, à la fin de l'hiver.

Le jeu de l'azur et des épithètes est trop beau pour ne pas le continuer... tirons encore au hasard, deux adjectifs : *vert* et *cruel*.

Vert? la teinte qui précède le soleil, au ras de l'horizon, le matin du solstice d'été...

Cruel. L'azur du vent d'est, à l'aube des gelées blanches. Celui-là même qui détruit les promesses des vergers.

Déjà, nous aimons l'azur, puisque nous pouvons à notre gré l'habiller de toutes les épithètes, lui soumettre tous les adjectifs ou l'admirer nu, simplement, l'azur tel qu'il se dressera, à midi, quand juillet tendra les bras au mois d'août, par-dessus les arbres trop uniformément verts, et les champs moissonnés.

LE MOIS D'AOÛT ET SES PLANTES

Les plantes atteignent leur plein développement, et les corolles s'épanouissent dans l'illusion d'un été sans fin. Pourtant, les fleurs du printemps? Bah! les unes portent leurs semences, les autres sont bien oubliées.

Les jours se raccourcissent? Les nuits sont moins chaudes? Qu'est-ce que cela fait! Depuis plus de deux mois, la terre absorbe, économise le soleil surabondant, c'est à elle de nous pourvoir maintenant de bonne tiédeur, et les jours n'en sont pas moins sûrs de leur douceur méridienne. Si le beau temps en avril nous semble un présent miraculeux, la chaleur du mois d'août nous paraît un dû.

Pourtant, en marge de notre « Mémorial du Naturaliste », une main prudente a tracé ces mots : « Semez le persil d'hiver. Les nuits d'août trompent les sages et les fous. »

Souvenez-vous : le mois de février nous a livré sept signes de printemps. Or, dans l'ordre du temps, le mois de février est au solstice d'hiver, ce que le mois d'août est au solstice d'été. Donc, pour que l'équilibre des saisons soit parfait, pour que chacune retrouve, chaque année, les mêmes échos, les mêmes parfums, les mêmes coloris végétaux, les mois se combinent, se compensent, et le mois d'août devra sept fois nous faire signe de penser à l'automne.

La préparation du carré de terre destiné au persil sera le premier geste d'adieu à la belle saison. Il a fallu lutter avec toutes les herbes nommées mauvaises. Elles sont nombreuses à envahir nos potagers. Et chacune est si jolie, si intéressante, si obstinée et si courageuse, qu'on a mal de devoir les arracher.

105

Hors d'ici! mouron des oiseaux, que l'on croit entendre chanter, et vous, herbe-saint-Jean, dont les fleurs déteignent en violet sur les feuilles; ôtez-vous de là, herbe-à-Robert, géranium au long bec. Et toi, séneçon?... ma main dévastatrice épargnera volontairement quelques-unes de tes plantes, car, engoncé dans ton feuillage fraisé, tu tiendras bon jusqu'aux gelées. A mort! oxalis jaune, dont les feuilles jouent à être de beaux petits trèfles bien réguliers; je vous chasse, bourse-à-pasteur, chiendent aigu, consoude velue, et vous, camomilles, lamiers et balodes... Pour semer les persils d'hiver, il nous faut de la terre bien propre, quitte de plantes, de fleurs, de racines... Quitte de racines? Les voici dans mes mains, les longs nerfs du chiendent, les touffes blanches du géranium-Robert, les nœuds de l'oxalis, la force crispée de la consoude, toutes encore chargées, gorgées d'humus, comme les blés le furent de pollen, comme les cuisses des abeilles, lorsqu'elles s'arrachent au tilleul en fleur.

Et vous, euphorbe? Faut-il donc vous détruire aussi? Curieuse euphorbe, géométrique et rayonnante, et comme éclairée intérieurement par la lumière solaire, vous aussi, vous serez sacrifiée au persil, sauf un ou deux pieds, car le lait blanc de vos tiges sert à faire disparaître les verrues aux mains des hommes.

Ah! Qu'ai-je fait? Oui, voici mon coin de terre encore chaud de soleil, délivré de toute plante, de toute racine... Mais j'ai tué cent témoins de l'été.

Les champs nous livrent le second signe : le seigle est engrangé, on a labouré, puis hersé le sol, tout palpitant encore du travail des insectes à farine... Plus d'épis hérissés d'antennes, plus de crissement ailé, plus de volée de pollen... Voici le temps des navets. Semés, sitôt le seigle moissonné, ils lèveront à la première pluie. Ils ne se soucient ni du froid ni du chaud, ni des nuages, ni du ciel bleu, ni, dirait-on, du soleil. Tels, d'un vert uni et dur, se montrent les cotylédons, en sortant du sol, tel sera leur feuillage touffu. Ils garderont leur couleur, inaltérablement, jusqu'au cœur de l'hiver, jusqu'à ce qu'on les tire, pour laisser enfin reposer la terre.

Les navets, disent les paysans, sont des plantes de lunes. Est-ce naturel qu'ils verdissent, se forment et gonflent, alors que tout se fane, roussit et se défait?

Aussi, un champ où poussent des navets, sous un beau soleil d'août, a-t-il quelque chose d'inharmonique, de disparate, de révolté.

*
**

Nous donnerions volontiers, comme symbole au mois d'août, les plantes nommées solanées. Août couve la tomate, mûrit la pomme de terre, ouvre les fleurs de la douce-amère.

La tomate nous offre ses pommes rouges, et l'extrémité des pousses, froissées dans les doigts, livre le plus capiteux des parfums du mois d'août. La pomme de terre, sonnante de fleurs blanches, nous fournit des repas pour tous les jours de l'année, la chair la plus fine, la plus fleurante, la plus blanche... et la douce-amère?

La voici : bitter-sweet, bitterüss, bitterzoet, elle est la douce-amère dans les langues de tous les pays soumis au Gulf-stream. Mais les Anglais, qui baptisèrent la pâquerette œil-du-jour, donnent à la douce-amère aussi, un second nom : ils lui disent : *nightshade*, ombre-de-la-nuit. Œil-du-jour s'ouvrit à l'approche du printemps. Ombre-de-la-nuit annonce l'automne. Ses pétales sont d'un violet d'améthyste et se retroussent, en turban, tout autour du cœur jaune, en forme de grain de froment. Ses tiges sont ligneuses, ses feuilles, minces et d'un vert sombre.

Ses sœurs solanées, la tomate et la pomme de terre nous font les dons les plus généreux, la douce-amère ne nous donne rien et rien... ne vous avisez pas de mâchonner des tiges ou des feuilles, elles sont dangereuses. Ses baies vertes sont empoisonnées si l'on s'en nourrit autrement qu'en rêve. Amère... alors, pourquoi

107

douce aussi? Parce qu'elle nous montre la beauté de l'ombre de la nuit.

La douce-amère a un amoureux, le petit sphynx, que l'on appelle aussi macroglosse ou mouchefolle. Il ne se pose pas sur les fleurs comme l'innocent *citron*, ou la simple piéride, il frémit et semble faire la roue devant chaque fleur de douce-amère. Pendant qu'il vibre ainsi, en extase et suspendu à l'air, il plonge sa longue trompe dans le cœur de la corolle et lui vole son nectar.

A quoi bon arracher les jolies herbes pour semer du persil? Garde toutes tes illusions, amères ou douces comme l'ombre des nuits. L'été ne finira jamais, laisse absorber la liqueur de tes rêves par les sphynx, et passe-toi de persil, cet hiver.

Selon une coutume ancienne, recueillie par les folkloristes [1], il faudrait se pourvoir, pendant la nuit qui précède l'Assomption, de neuf plantes, et en composer un bouquet magique. Les vertus de ce bouquet du 14 août nous préserveront pendant les nuits maléfiques du cœur de l'hiver.

Il s'agit de les cueillir, non de les couper. Si vous les touchiez avec du fer, elles perdraient leurs dons.

De ces neuf plantes, certaines sont cultivées, d'autres, spontanées. Voici d'abord l'Inula, qui a l'apparence d'un gros souci trop feuillu. Les Flamands la nomment tête d'Odin, ou herbe-au-tonnerre. Cette lourde fleur occupera le centre de notre bouquet. Cherchons maintenant la valériane, l'herbe-au-chat, cette fleur rosâtre au vigoureux feuillage. Nous trouverons facilement les artémises, la vulgaire et sauvage armoise, herbe-aux-cent -goûts, et ses sœurs cultivées et aromatiques, l'estragon et l'absinthe. Cherchons aussi le gallium ou caille-lait jaune,

---

[1] Isidore Teirlinck : Plantelore.

108

la tanaisie parfumée et l'eupatoire... Assemblons ces plantes diverses et odorantes... Il n'y en a que huit, dites-vous? La neuvième fournira une longue tige ligneuse, dont un triple lien entourera et maintiendra notre gerbe... la neuvième est la douce-amère.

Le bouquet ainsi composé sera emporté demain à la messe d'aube, afin que soient bénis le dieu Odin, l'herbe-aux-chats, l'eupatoire, ainsi nommée parce que Mithridate Eupator l'introduisit dans la médecine, et les autres... et chacune a vingt légendes...

Le bouquet dûment béni, nous le sécherons tout comme on sèche le tilleul ou la camomille; mais au lieu de nous servir aux infusions d'hiver, il adoucira les moments inquiétants, où le jour semble mourir avant de renaître.

N'y pensons plus : que tourne la saison, que rentrent les moissons, que tombent les feuilles. Voici les fêtes du déclin, la Toussaint et le jour des morts. Voici novembre, pendant lequel les jours se rétrécissent, jusqu'à n'être plus qu'une petite flaque de lumière au creux de midi. Les gens se portent mal, toussent, s'anémient, le bétail maigrit ou meurt. Sans doute des puissances malignes infestent-elles la maison? Nous allons les enfumer comme de méchants moustiques. A notre secours! Armoise, absinthe, estragon, tanaisie odorante, et les autres, rangées autour de la tête d'Odin.

Vous, qui soupçonnez des présences mauvaises, dans la maison ou dans l'étable, utilisez les quatre nuits propices aux fumigations. Celles de la Saint-Thomas, de la Noël, du Nouvel-An et des Rois.

Terminez soigneusement votre travail : que les vaches soient traites, que les chevaux et les porcs aient leur pitance. Posez alors votre bouquet d'Odin dans la poêle à frire rougie. Les herbes sèches fumeront abondamment. Vous promènerez cet encensoir particulier en tout lieu, et, là où il y a des bestiaux ou de la volaille, prenez garde de ne plus les troubler, avant l'aube, par une présence humaine. Ils préfèrent se débrouiller seuls avec les invisibles. Vous enfumerez donc la salle commune et les alcôves, les fenils et le poulailler, l'étable et la grange...

Mais nous, qui avons abandonné de tels rites, que ferons-nous? Nous avons arraché des témoins de l'été, pour semer le persil; vu pousser les navets amis de la lune; reçu les dons divers des solanées. Conservons simplement dans nos pensées les masses odorantes, aromatiques, magiques, des plantes du mois d'août. Elles nous aideront à supporter l'abandon progressif du soleil.

Salut, tête d'Odin, herbe-au-tonnerre, Arthémise, herbe à la meurtrie, et toi illusion douce-amère, qui, d'un triple lien, nouera notre bouquet.

Le quatrième signe d'automne nous est donné par les plantes de l'Assomption.

Le cinquième, c'est l'odeur du phlox. Il n'est de jardin de village, de courtil de paysan, qui n'ait ses plants de phlox, qui n'en offre des bouquets à Marie. Leur gamme de couleur va du blanc de grêle au rouge de crépuscule. Et leur parfum? Ah! un peu plus aromatique, et ce serait le plus charmeur, le plus frais des parfums; un peu plus décomposé, et l'odeur en serait pire que celle de l'ortie fétide.

Cet adieu aux beaux jours, que nous refusions d'accepter de la douce-amère, nous le respirons avec l'odeur du phlox. Ce compromis entre la délicatesse extrême et la fermentation exprime la lassitude de la terre, de l'air et des arbres. Le repos aussi est une chose heureuse. Pourquoi durer, si l'on ne crée plus, pourquoi dormir au soleil, si l'amour n'enrichit plus nos nuits? Coupe le phlox, et respire-le jusqu'aux larmes.

La Madone aussi a quitté la terre, s'est élevée dans l'azur, elle a disparu à nos yeux, et la prochaine grande fête sera celle de la Toussaint.

Attention! Le sixième signe d'automne nous viendra de l'étang, que nous avons laissé, caché sous les étages de feuilles fraîches qui le défendent de la soif solaire. A la fin du mois d'août, les plus vieilles de ces feuilles ont les tiges pourries par une sorte de mousse gluante, les palmes rongées d'insectes et de lumière. La première pluie violente les crible, et elles se laissent sombrer.

Les cils des roseaux ont beau être là, touffus, penchés sur les regards de l'onde, l'eau se réveille, et, aux places où les feuilles flétries ont coulé, nous apercevrons de nouveau les yeux bleus de l'étang, les jours où un azur, traversé de nuages ronds et blancs, déroule sa lumière.

Les roseaux fleurissent à pleins panaches.

Parfois, un vent d'ouest, très chaud mais gonflé de pluie, s'y faufile, et l'on dirait que toute la chaleur de l'été pèse en lourdeur sur la nuit close.

Venez, nous pêcherons l'anguille. Nous enfilerons des vers de terre à un fil mince et solide, nous attacherons cet étrange écheveau au bout d'une gaule, et nous poserons près de nous, au bord de l'eau, un petit baquet de bois. Plongez votre gaule dans la vase, et ne bougez plus... fumez, pour vous défendre des moustiques. Calme. Mais on sent que, au rebours de telles heures de février, où tout se constituait dans l'étrange silence de la nuit d'ouest, cette ombre-ci dissocie et désagrège l'espace. — Ah? N'oubliez pas... si vous sentez la gaule dans votre main vibrer de faibles secousses, ce sera signe que l'anguille mord. Vous retirerez le bâton d'un coup sec, et vous tenterez de précipiter, dans le baquet, le petit serpent gluant et goulu, accroché par les dents au fil garni de vers.

Dans la nuit, si touffue de choses atteintes déjà du mal d'Automne, vous risquez pourtant d'oublier la gaule et les vers, et votre pêche à l'anguille. Le vent d'ouest apporte des senteurs marines, et l'humidité qui le charge n'est autre que la buée du Gulf-stream... Les espaces où les yeux de l'étang sont ouverts montrent des étoiles faiblement balancées; les déchirures des nuages découvrent les points brillants du ciel... Laisse ta gaule, tes vers, tes anguilles! Étends-toi, dans ton manteau, sur le bord de l'eau, et regarde, jusqu'à ne plus distinguer l'onde terrestre de l'onde céleste, puisque partout brillent les astres et que partout s'interposent des masses d'ombre, herbages ou nuages.

Un matin, tu t'en vas au potager quérir la nourriture de tes lapins. Tu t'approches du carré de choux, et tu les vois semés de bonnes gouttes rondes et de mille gouttelettes brillantes. Étonnée, tu regardes le ciel. Quelle lucidité! Non, non, il n'est pas tombé une seule goutte de pluie. De la rosée, c'est de la vraie rosée, condensée par l'aube plus froide! Cueille, cueille ta feuille de choux, puisque tes lapins la veulent, mais ce n'est plus là ta principale besogne. Recourbe ta main gauche en forme de coupe, et, de ta main droite, fais-y délicatement glisser une des grosses perles rondes de ta feuille de choux. Ah! Quelle fraîcheur... Nous sommes en train de perdre le soleil, soit, mais nous sommes en train de regagner l'eau. Et avec l'eau, les aubes et les soirs, imprécis, enveloppés, mobiles; les jours mouvants, les pans d'averses, suivies de coulées de clarté. Comment avons-nous pu être angoissés par le tournant du solstice, regretter de sacrifier cent plantes aux semis de notre persil d'hiver, blâmer les navets d'aimer la lune, nous émouvoir dans une nuit d'ouest, au point d'oublier notre pêche à l'anguille?

Regarde autour de toi, ce matin. Certes, août penche vers le mois de l'équinoxe d'automne, mais ton persil pousse déjà et si tu en cueilles un brin, tu lui trouveras une odeur d'eau vive.

Et puis, après avoir nourri tes lapins, suis-moi, viens! nous longerons le chemin sablonneux, et, près d'une haie, nous retrouverons la touffe de douce-amère. Elle fleurit encore. Son turban violet, son cœur d'or ont bu la rosée, son visage de fleur en est tout humide encore, comme le museau des vaches, lorsqu'elles reviennent de l'abreuvoir, et beuglent sourdement, inquiètes, entourées de centaines d'hirondelles. Car toutes celles des nouvelles couvées volent, on ne les distingue même plus des couveuses et des pourvoyeuses des mois écoulés. Ce soir, des nuages violets comme un turban de douce-amère courront sur l'horizon, le soleil s'en échappera, comme le cœur d'une fleur, et le vent d'ouest, imitant le sphynx-macroglosse, lui volera un nectar de parfums et de tiédeur.

SEPTEMBRE OU LE JEU DES RAYONS ET DES BAIES

Peut-être le parfum des nuits de septembre, déjà chargées d'humidité, émane-t-il des baies mûrissantes et des fruits sauvages. Partout, dans les lieux boisés ou agrestes, semences, baies ou fruits remplacent les fleurs. Il en est, comme les faînes, que les enfants grignotent et que les oiseaux pillent. D'autres sont dures comme du bois; certaines baies sont rouges, impudentes, empoisonnées et d'autres, molles, douces et sombres comme la nuit elle-même.

Le soleil les caresse, le matin, en arrivant au bout des longues glissières vermeilles que la buée nocturne lui a préparées. Il rencontre d'abord le sureau, paré de ses grappes noires, tout ailé d'oiseaux goulus. Y en a-t-il, dans nos pays, de ces beaux buissons à l'écorce pommelée! Tant et tant, que le sureau est plein d'histoires, tout comme il est plein d'oiseaux. Les jeunes tiges, capitonnées d'une moelle nacrée, gardent tout l'été la saveur et l'odeur des jours qui la virent naître : celles du vent d'est au mois de mars. Les fleurs de sureau sont bonnes-aux-fiévreux; les baies, douces-aux-oiseaux. On pourrait le nommer aussi joie-des-enfants, car il fournit aux écoliers leurs canonnières. Dans la tige vidée de moelle, ils introduisent comme piston une baguette de coudrier et chassent violemment une baie d'aunelle. Ah! la belle trajectoire, dans le ciel des vacances! La feuillaison du sureau survient à l'équinoxe du printemps, les feuilles se développent rapidement. Il fleurit en juin, mûrit le 31 du mois d'août... La tradition paysanne veut que le sureau soit une plante lunaire. Comme la plupart des végétaux à tiges creuses, il a de la sympathie pour Phœbé et, paraît-il, ses feuilles poussent ou languissent selon la croissance ou la décroissance de la lune.

A toute cette poétique aventure des sureaux, à ces fleurs calmantes, à ces oiseaux heureux, à ces eaux courantes aux bords desquelles ils se plaisent, à ces enfants en vacances, à ce clair de lune amical, s'oppose, comme un envers inquiétant, l'origine attribuée par la rumeur populaire au sureau nain ou Yèbe. Cette variété se montre, dit-on, là où fut versé du sang humain, dans les lieux de supplice et sous les potences, tout comme la jusquiame, cette vénéneuse solanée. En flamand et en anglais, le sureau nain se nomme « Racine-aux-morts »... Il conviendrait même de se méfier aussi du grand sureau, malgré son air inoffensif et doux. Les sorciers ont l'habitude de revêtir son apparence. Ils s'y prennent si adoitrement, que ni vous, ni moi, ni personne ne peut s'apercevoir de la supercherie. Vous croyez voir, au bord de ce ruisselet, un paisible sureau? Erreur, c'est un sorcier qui vous guette. Pourtant, si malin que soit le sorcier, il ne peut tromper les chiens, à cause de leur flair. Sous la forme du buisson verdoyant, en effet, l'odeur du sorcier demeure. Le chien ne peut ni le mordre, ni le déchirer, mais il s'agite et gronde. Donc, si vous voyez votre chien s'inquiéter devant un sureau, vous saurez désormais à quoi vous en tenir. N'insistez pas. Éloignez-vous, ce n'est pas un sureau, mais bien un sorcier.

Vers le temps où les sureaux mûrissent, la sorbe se met à rougir. Le sorbier est acide, ailé. Des vols de grives gourmandes et impulsives s'y agitent et les gens qui habitent aux lisières des bois entendent, dans la brume matinale, leurs appels claquer comme de gros baisers sur les joues de l'aurore.

Pour bien aimer septembre, il n'y a qu'à regarder tout ce que les rayons en glissières vous indiquent. Sur le sol, ils s'amusent à tirer des gouttes de clarté des beaux marrons d'Inde échappés à leur bogue doublée de peau de chamois. Voici le fruit : tout rond, tout gras, tout brillant, avec parfois un pan coupé qui luit comme de l'acajou poli. Les enfants le gardent en main, pour le plaisir de le sentir frais et lisse. Imitons-les. Attention, amateurs de plaisirs tactiles : le creux de la main jouira du frais et le gros de l'index appréciera le lisse.

Frais, lisses, lustrés. Faut-il s'étonner que la médecine populaire attribue aux marrons d'Inde le pouvoir de guérir les rhumatismes? Anna, ma vieille voisine, m'a expliqué pourquoi, portés en poche, ils lui ôtent ses douleurs. Elle tenait en main la tige d'une feuille de marronnier : « Voyez-vous, me dit-elle, voyez-vous? L'un des bouts ressemble à une patte de chat toute griffue. En effet, le rhumatisme griffe mes vieux os. » Puis, Anna m'indiqua l'autre bout de la tige, qui ressemblait au sabot ferré d'un cheval : « C'est que l'hiver arrive au galop. » Enfin, me montrant quelques marrons superbes, luisants et comme lubrifiés d'huile fine, elle conclut : « Tout ce luisant, je le mets en poche. Dans quinze jours, mes marrons seront ternes et desséchés. Où voulez-vous que le glissant ait passé, si ce n'est dans mes articulations grinçantes? »

Écoutez ces chutes légères? Sont-ce des rayons qui frappent aux portes du jour? Non, les premières faînes tombent. Jamais le vent ne s'est tenu plus immobile, peut-être est-ce le frôlement des glissières de soleil qui vient d'ouvrir la poche pyramidale où logent les faînes?... Quand le vent se mêlera de secouer les hêtres, il nous les lancera au nez et le sol en sera criblé. Ramassez! Ramassez! En rentrant de promenade, vous jetterez votre récolte dans une cuvette d'eau. Les faînes vides flotteront, les pleines sombreront. Les faînes vides? les petits enfants les enfileront en guirlandes. Les pleines? peut-on ne pas aimer à grignoter les faînes! Un peu huileuses et râpeuses à la fois, elles ont une saveur de bois mouillé, de feuilles fanées, de dimanche lassé.

117

Elles font penser au premier feu dans les chambres humides. Elles font penser, triste et heureux à la fois, à l'hiver... l'hiver... (Cette eau... disait Pelléas à Mélisande, elle est fraîche comme l'hiver...)

Mais nos rayons en glissières ne pensent pas encore à l'hiver. Ils nous guident dans la splendeur dorée de septembre, et nous montrent les toiles d'araignées, la multitude des toiles d'araignées tissées dans les haies d'aubépines, étendues comme des lessives sur les herbes, dans les prés ou le long des chemins; arborées aux feuilles des sorbiers, dans les branches des sureaux. Et sur la haute cime des grands hêtres tremblent sans doute aussi de ces voiles ténus! Une rosée à la mesure de leur finesse y est brodée, des irisations brillent aux fils de la vierge onduleux, aux plus légères des graminées, aux plus lourdes des poires suspendues aux arbres de nos vergers.

... La même irisation se dépose sur nos lèvres, sur nos mains, à chacun de nos cheveux, dans notre pensée, jusque dans cette sensibilité de nos âmes, illuminées par la beauté du matin de septembre.

*
**

C'est à la fin de l'après-midi, au moment où les ombres bleuissent déjà, que, vers la mi-septembre, il faut chercher la campanule. Elle est la dernière des fleurs fragiles et, comme l'anémone, dont on s'étonnait qu'elle choisît de s'ouvrir à la rudesse de mars, nous nous demandons pourquoi la campanule fleurit au moment où les nuits permettent déjà à un vent froid de visiter l'agonie des nénuphars, de frissonner parmi les arbres et de transir les plantes chargées de leurs fruits. C'est parce que cette fleur appartient à la famille des « donneuses-de-rêves » et qu'elle s'apparie bien à ceux du début d'automne.

La campanule fait rêver à la terre après la récolte des pommes de terre, à la fumée des fanes qu'on brûlera, le soir. Le champ est vidé par les récoltes, on va bientôt labourer le sol et lui confier le blé d'hiver.

118

Mais, maintenant, la terre se repose. Elle s'est endormie, immédiatement, dans son vêtement de poussière encore chaude. Elle sommeille, comme certains êtres jeunes et forts, après une grande fatigue, si profondément, si tranquillement, qu'on ne les entend même pas respirer. On se penche, inquiet de ce silence et l'on perçoit enfin une haleine égale, pure, légère, balancée aux lèvres du dormeur. Bien des femmes ont ainsi épié le souffle détendu de l'être aimé. Elles se sont senties alors si heureuses, si sûres de leur bonheur, si confiantes, qu'elles-mêmes se sont endormies d'un repos sans rêves. Or, ce souffle, cette respiration, ce signe qui nous prouve que la terre de septembre n'a point cessé de vivre, mais dort du plus beau et du plus réparateur des sommeils, c'est la campanule, mauve comme l'ombre de cils en frange sur le cerne des yeux humains, balancée comme les buées bleues ou comme les lentes fumées, à l'heure où l'angelus donne aux choses une forme de cloche.

*
**

Septembre penche encore vers l'été, malgré les glissières, la rosée et les baies; malgré les marrons d'Inde, les toiles d'araignées et les campanules. La maturité des glands de chêne tombe du côté de l'automne, et alors, l'équilibre de l'équinoxe s'établit. Toutes les choses sont maintenant égales et comme suspendues. Le vent plus vif, qui n'a pas empêché la campanule d'être douce et mauve et de fleurir, le vent s'éveille et court, dès six heures, au moment même où le soleil disparaît. La chèvre, si blanche, dans l'herbe encore si verte, tire sur sa longe pour atteindre, sous le chêne, les glands dont elle aime l'amertume. Soudain, son poil frissonne, elle s'arrête et, le cou tendu, bêle tristement.

Rien n'est plus l'été et rien n'est encore l'automne, que cette dureté limitée du vent et des glands. Arrêtons-nous entre les deux saisons. Le signe de la Balance est suspendu dans le ciel. Serrons, dans une de nos mains, le fruit du chêne, ouvrons l'autre, afin que le soleil de l'équinoxe vienne se nicher dans la

119

paume; et regardons autour de nous. Les asters et les dahlias encombrent les jardins, l'herbe des prés n'a jamais été plus verte, ni les peupliers qui les encadrent, plus somptueux, plus bruissants. Où donc se montrera l'automne? Quel parfum le répandra, quelle couleur trahira sa présence, quel geste nous imposera son pouvoir?

L'automne nous rejoindra vers le crépuscule. Des teintes bleutées, d'une légèreté extrême, se propageront d'abord, puis, elles formeront des rubans qui se dérouleront, s'allongeront, tourneront autour des bouquets d'arbres et des clos. Ce n'est pas, comme au printemps, une buée transie d'eau et de parfums aquatiques, c'est vraiment une fumée chargée de chaleur et odorante comme l'encens. Elle vient d'une chose terminée, et qui se consume. Dès que nous l'avons respirée, nous savons que, vraiment, l'été est fini. La dernière récolte est rentrée, celle des pommes de terre, et l'on brûle dans les champs leurs fanes rêches, sèches et mortes.

A mesure que le crépuscule de six heures envahit le ciel, la fumée s'établit en stries superposées. Elle ne s'envole pas joyeusement dans l'azur, elle est comme lassée par tout le travail de l'été. Les sortilèges de l'automne naissent partout où pénètre son parfum. Quand l'obscurité est tombée, nous voyons rougeoyer tous les feux dont la fumée émane. Puis, un courant évente l'espace, glisse au sommet des peupliers, atteint le sol, attise les flammes, et tente de disperser la fumée.

Pourtant, la nuit en reste toute imprégnée, car il faut bien que les heures nocturnes aussi, apprennent à connaître la nostalgie de l'automne.

C'est alors que les points cardinaux se troublent. Au moment où la Balance penche définitivement vers octobre, de grands remous aériens se produisent. Mais on ne sait qui commence le terrible jeu de bataille entre les arbres et le vent. Le vent est bien la même brise d'été qui jouait avec les feuilles des tussilages; les arbres sont toujours les paisibles bouquets bruissants des nuits lunaires et des midis bleus... qui commence, ah! qui des deux commence le jeu de la tempête d'équinoxe?

Arbres, est-ce vous, de toute votre âme et de toutes vos branches? Ou bien est-ce vous, vent d'ouest, voilures de nuages bombées, nuées battantes, et monté de vos équipages d'averses?

Le tout était de ne pas commencer. Maintenant, ils sont aux prises, et se combattent sans merci.

Les branches bougeaient, se faisaient des signes, à l'heure où de légers courants aériens se déplaçaient lentement. Le vent leur a jeté une pluie dure et méchante. Les feuilles, ignorantes encore du froid, en ont tressailli, l'arbre s'est trouvé transi jusqu'à la moelle. Puis, le vent a jeté des nuages dont la pesanteur a fait ployer les hautes branches, mais la cime rude des grands sapins a désagrégé l'averse. Alors, l'averse oblique a tenté de surprendre les arbres de flanc, mais les rameaux en se détendant ont balayé à leur tour les souffles agressifs. Maintenant, les branches battent en tous sens, et le vent semble s'y ruer tantôt de haut en bas et tantôt de bas en haut. Des feuilles se déchirent, des lambeaux de nuages, déchiquetés, s'effritent... qui a commencé ce terrible jeu? Ils sont à présent si mêlés les uns aux autres, que nous ne pouvons nous imaginer comment ils reprendront chacun leur place, les arbres dans le calme des bois, le vent aux sommets luisants de l'espace.

... Et comment baies et semences ont-elles tenu? Dans la lucidité retrouvée, les voici toutes, aussi nombreuses que les fleurs au mois de mars : le pointillement de corail des aubépines, les papillons filigranés des frênes, le petit bouchon dur et sans imagination du pauvre aulne. Les cardes des chardons peignent, chaque soir, la quenouille des buées, et les pelotes des bardanes hérissent le bord des fossés. La symphorine, la plus inutile, la plus vaine de toutes les baies, arbore aux buissons cent et mille petits globes laiteux. Les oiseaux n'en veulent même pas... Mais comme elle présage bien la neige! elle est la messagère des boules de neige. C'est pourquoi les enfants aiment ces baies, les cueillent, et se les jettent. La symphorine blanche a des reflets nacrés... elle n'est pas seulement la neige, mais aussi, le clair de lune sur la neige.

Cependant, dans les bois, l'arum sauvage ou pied-de-bœuf dresse ses courtes massues perlées de rouge, comme des jalons destinés à nous mener, de baies en baies, de mûres noires en rouges fruits d'églantiers, de mois d'automne en mois d'automne, jusqu'au triomphe du houx et du gui, jusqu'à Noël.

*
**

En attendant, tout est encore très vert et très chaud. Dès que les troubles de l'équinoxe se sont apaisés, et jusqu'en octobre, nous trouverons bien des fleurs. Surtout dans les régions sablonneuses des dunes et des landes, où le printemps fut tardif.

— Perruque! Trique-madame! Raisin de rat! Œuf de fourmi! Baie de coq! Crotte de Moïse!... A qui donc adresse-t-on tous ces quolibets? A ce sédum blanc, à cette petite fleur tenace et gracile à cinq pétales, à mince tige ligneuse... et je ne connais qu'en deux langues, la française et la flamande, les railleries dont on l'accable. Dieu sait ce qu'on lui dit dans les autres langues! Elle est jolie, elle persiste jusqu'aux froids, elle est non vénéneuse, et même, son suc calme les brûlures. Pourquoi lui en veut-on ainsi? Je ne sais...

En revanche, voici son frère, le sédum jaune, à l'odeur aromatisée. Pour lui, on se radoucit, les mêmes voix qui raillaient la fleurette blanche, nomment celle-ci Pain-d'oiseau, Paillasse de Notre-Dame, Jaune riz-au-lait, Pleine-écuellée!

L'équinoxe n'a pas flétri non plus, dans nos dunes, une petite fleur mauve. On l'appelle thym et serpolet... Un seul vers de La

122

Fontaine nous l'a mieux fait connaître que tous les traités de botanique. C'est un humble frère du bel origan ou marjolaine, il aromatise les coteaux de la Seine, de la Meuse, du Rhin, toutes les collines pierreuses, tiédies par l'été, et il anime les vieilles rondes et chansons françaises. C'est une plante très aimée, tout comme le sédum est très raillé. Son nom, origan, veut dire en grec, Bonheur-des-collines. En flamand on l'appelle de même *Bergvreugde*, et il a aussi un nom de jeune fille *Madeleine*. N'est-ce pas à *Madeleine* que le prince de la chanson offrit quatre brins de marjolaine? et dans Gai, gai dessus le quai, le compagnon de la marjolaine ne demande rien moins qu'une fille à marier!

Un vieux dictionnaire de botanique prétend reconnaître dans l'origan, le *dictame* des anciens, plante mystérieuse qui passait pour guérir tous les maux. Ma mère chantait une romance où il était question de « Céleste Dictame ». Je croyais dans mon enfance, que c'était là un nom de femme, comme, pour exemple, Anna Karénine... J'ai su beaucoup plus tard, que l'amoureux des vers romantiques chantés par maman implorait l'origan, symbolisant pour lui l'amour de sa belle, et qui devait le guérir du mal d'aimer. Les Allemands ont donné un nom de personne au thym et à l'origan... On les appelle grand Kasper et petit Kasper, tout comme grand Claus et petit Claus, dans le conte d'Andersen.

Ce bel origan dont tout l'été fut couronné, cet ami des filles à marier, cet honnête grand Kasper, a une antipathie : il déteste les choux. Plantez de l'origan à côté d'un chou? le chou se flétrira, ou bien l'origan mourra. On est tenté de voir dans cet antagonisme une image de la lutte éternelle entre l'esprit et la matière, entre Ariel et Caliban.

Munis de ces plantes aromatiques et ligneuses, nous quitterons septembre et l'été, les vacillements de l'équinoxe, les nuits encore traversées de souffles chauds mal réprimés, le sortilège des arbres vêtus de feuillages uniformes, les averses soudaines suivies de luminosités tremblantes. Le séneçon sera bientôt la

123

seule hampe florale à ne pas amener ses couleurs. La période attachante et tragique de l'indécision est terminée, et voici que commencent les défeuillaisons.

LA DÉFOLIATION D'OCTOBRE

La question des feuilles mortes agite chaque année, dès avant l'équinoxe d'automne, toutes ces racines, ces tiges, ces troncs, ces nervures, ces réseaux verticillés, qui sont des arbres.

C'est le hêtre qui en parle avec le plus d'autorité. Dans ce travail de la défoliation, c'est un maître. Passer insensiblement du vert vif au vert éteint, du vert éteint au vert doré, et de l'or à l'orangé le plus intense; opérer cette transformation sans tache, sans heurts, d'une manière égale et sûre; y utiliser habilement la pluie ou le soleil, et au moment où toutes feuilles rejetées, le réseau pur des rameaux se dessine sur le ciel, revêtir la face ouest du tronc et des grosses branches du voile émeraudé d'un lichen granuleux!

Le hêtre sait aussi réserver une partie de son tronc à écouler l'eau gaspillée par les pluies, et celle dont le baigne l'humidité distillée par ses branches. Un ruisselet vertical flue doucement, et forme une petite mare entre deux boulonnages de racines. Le lichen étant lavé à la place où l'eau descend ainsi, l'écorce y devient d'un noir lisse et violacé.

Le hêtre, ce magnifique voilier de nos campagnes, est alors paré pour les grands vents et prêt à la traversée de l'hiver.

Nous aimons à imaginer que le hêtre se fâche quand les humains disent que la chute des feuilles est signe de mort... Il nous démontre chaque automne que l'arbre les rejette pour faire place, déjà, au bourgeon de l'an prochain. Vous en trouverez à chaque nœud de chaque ramille. Touchez-les : tout petits, de couleur brune, très durs. Or, ils sont déjà porteurs de l'acidité germinatrice d'avril, de la splendeur tendre de mai, de la langueur touffue de l'été. Tout cela, nous, les hommes, nous l'ignorons ou nous l'oublions... Même certains arbres l'oublient! Ainsi, les poiriers survivent mal à la maturité de leurs fruits. Leurs feuilles noircissent pauvrement, ils se croient morts, chaque année. Ils ont beau se réveiller au printemps, ruisselants de perles, ou bien avec un petit air d'émerger, tout floconneux, d'une savonnée de fleurs!... L'automne suivant, les affres de la mort les reprennent, et ils n'écoutent même pas le vent d'octobre chanter dans le gréement des hêtres.

Les poiriers sont des arbres hypocondres.

Mon ami, le Beurré-Hardy, celui à qui plaisent les buées montantes du mois de mars, et dont les bourgeons ressemblent à un essaim, le Beurré-Hardy nous donne des poires d'une saveur légère d'amande, et sucrées à souhait. Que l'un de ses fruits, tombant sur le chemin, s'y fende, voici que s'en nourrissent aussitôt, non seulement les mouches et les abeilles, les guêpes et les frelons, mais aussi les beaux papillons d'octobre : la Vanesse grande tortue, le Vulcain et le Paon de jour se posent sur la blessure blanche du fruit, ils vibrent de bonheur, immobiles, gorgés, pensant avoir trouvé un pollen d'une espèce inouïe! Quand le soleil se glisse dans le verger, il s'arrête un moment à caresser les moires de leurs ailes, comme il caresse les étangs où l'onde mêlant les reflets, ressemble aussi à des queues de paons; d'ailleurs, pour un rayon de soleil, la différence de dimension est-elle appréciable, entre une aile de papillon, et une eau moirée et duvetée de vent?

Les châtaigniers crispent leurs feuilles, comme s'ils craignaient les piquants de leurs propres bogues. La grande question, pour eux, est de livrer leurs châtaignes avant les premières gelées. Ils en oublient les soins à donner aux feuilles qui vont les quitter. Ils jaunissent mal, par taches, au hasard. Ils ne se découragent pas comme les poiriers, mais ils n'ont pas le temps de préparer leur hiver, ni leur printemps. Aussi leur feuillaison sera-t-elle bien tardive.

Le tilleul, tout doux, tout sucré, criblé de ses dures petites semences à une aile, ne peine ni à mourir, ni à renaître. Il se livre avec confiance au jeu des saisons. Le mois de juin l'a comblé pour toute l'année d'un rêve de fleurs, de parfums, de miel et d'abeilles. C'est pourquoi, et bien qu'il n'ordonne pas sa mue, le songe qui l'occupe danse encore parmi ses branches, en légers feuillages dorés, et jusqu'au tournant extrême de l'automne.

Tout comme le hêtre, le peuplier du Canada travaille magnifiquement, et garde une clarté rayonnante bien au-delà de la Toussaint.

Il faut choisir une journée grise pour le saluer, dans les prés humides qu'il borde. Même si les averses d'équinoxe ont été nombreuses, les ruisselets en quadrilatères n'ont pas retrouvé leur onde printanière, car le sol était trop altéré, et la plane prairie ne cèdera aux sillons du drainage que le superflu de l'eau distribuée. L'herbe est plus verte que jamais. Ce ne sont plus des fleurs qui la constellent, mais bien les feuilles dorées offertes par les peupliers. Toute luminosité semble venir d'eux et de leur feuillage, celui qu'ils donnent au sol, et celui dont les cimes restent garnies. Maintenant nous pouvons suivre des yeux le dessin si net de ces arbres. Le tronc distribue à droite, à gauche, sans les mêler, sans les presser, des branches paisibles auxquelles se pose l'ordre des rameaux. On dirait qu'il mesure ainsi, avec précision, l'espace exact qu'il lui faut pour onduler avec le vent et bruire comme l'eau courante. Mais pourquoi donne-t-il à ses dernières feuilles ce même ton de soufre lumineux dont palpiteront aussi ses feuilles nouvelles, au mois de mai? Là, il s'égare, à mon avis. Il faut tout de même marquer la différence entre l'automne et le printemps, entre le Sagittaire et les Gémeaux.

L'orme se ternit et jaunit faiblement. Il aime les tons indécis, les nuances délicates, et puis, il ne se donne pas beaucoup de peine... pour lui, le trajet d'hiver sera si court! Dès le premier vent du sud, en février, des fleurs couleur de pluie trembleront parmi ses rameaux.

La défoliation de l'aulne est toujours la fin d'un drame émou-

127

vant. Vous connaissez l'aulne, vous savez combien il est pauvre, travailleur et tenace. Ses racines rouges s'agrippent aux limons amers, dans les terres trop mouillées et ingrates. Ses fruits sont rêches et inutiles. Il garde ses feuilles vertes comme si jamais l'hiver ne devait venir, comme s'il n'était pas certain que jamais d'autres dussent lui naître. Vous pensez bien que ce n'est pas facile, avec les matériaux dont il dispose, de former ces tiges noires, fermes et flexibles, puis, de les habiller de feuilles lourdes, larges et velues!

Le vent du matin froid s'étonne et leur dit :

« Imitez donc ces dociles bouleaux; nous n'avons qu'à nous montrer pour qu'ils nous livrent leur feuillage...

Et les ondées grises leur murmurent :

— Le robuste platane, lui-même, roussit et cède, pourquoi résister?

Mais l'aulne, en silence, garde ses feuilles vertes.

— Tous les yeux des bois sont fermés! crient les corbeaux tournoyants. Le ciel lui-même est bien fragilement lumineux! Pourquoi, arbre, veux-tu donc rester vert en automne, comme si tu étais fait de brins d'herbes? »

Mais l'aulne refuse de se séparer de ses feuilles. Il lutte. Il lutte, insensible à l'exemple donné par tous les autres arbres. Il résistera, passé la Toussaint, passé l'été de la Saint-Martin...

Mais un soir, le couchant, tout en cendres grises, se met à rougeoyer sous un grand courant d'air froid venu du nord. Bientôt, tout ce qui restait de nuages et de nuées se trouve consumé.

L'odeur de terre mouillée dont l'automne gonflait les champs se résorbe, aspirée par les lèvres mystérieuses du froid, et les feuilles légères et dociles des bouleaux, se soulevant un moment, se mettent à fuir sur le sol, à fuir, vers le sud.

Alors seulement les aulnes admettent que l'heure est venue. Ils pressentent la gelée, et abandonnent enfin leurs feuilles encore chargées de leur sève d'arbres pauvres. Elles tombent, péniblement, une à une, comme des sous longtemps épargnés.

Ayant ainsi renoncé à leur feuillage, les aulnes s'endorment de leur sommeil d'hiver. A ce signe, les jardins, les champs et les bois reconnaissent que voici vraiment revenir les froids. Ils frissonnent et s'immobilisent. Si l'aulne renonce... c'est bien fini.

Seule, la nuit est joyeuse. Vêtue d'azur, perlée d'étoiles, aigrettée de lune, palpitante, elle attend la première gelée.

*
**

Pour que l'automne puisse ainsi s'accomplir, atteindre la sérénité qui, soudain, s'établit, un soir de douceur grise, il faudra que le Temps-qu'il-fait nous donne plus d'une longue journée de pluie. Non pas de ces averses folles, haletantes, précipitées par le tumulte des équinoxes, mais une ondée commençant paisiblement avant l'aube, et par laquelle s'écoule la tension nerveuse qui serre le ciel au tournant des saisons, cette inquiétude errante de la fin des beaux jours.

L'ondée deviendra de plus en plus rapide. Mais le mouvement de l'eau qui relie les nuages au sol va continûment, sans à-coups, sans interventions du vent. Aussi la rumeur en est-elle magnifique. Les arbres chantent à l'unisson; le sol, enfin désaltéré, rejette son vêtement d'eau, de ruisselets en ruisseaux, et révèle ainsi le moindre penchant des chemins qui circulent dans nos plaines. De-ci, de-là, pour nous montrer qu'une terre peut être parfaitement plane, une flaque claire s'étale, elle restera là, jusqu'à ce que le sol ait pu la boire, ou le vent l'essuyer.

Si vous avez des gouttières à votre maison, vous les entendrez rire et agiter des colliers de perles. Mais il faut sortir, vêtu de caoutchouc, et laisser ruisseler l'averse sur votre visage. Vous ressentirez alors vous-même cet apaisement merveilleux, cette détente de tous les nerfs, cette approche délicieuse du repos et du sommeil.

A peine voit-on d'où vient le jour. Les points cardinaux se confondent. L'espace tout entier passera lentement du gris mauve au gris perle, du gris perle au gris blanc, pour retourner au gris cendre.

Il pleuvra, il pleuvra, dans le crépuscule, dans la nuit tombante, dans la nuit close. L'aube de demain viendra sans doute dissiper les nuées. Les lambeaux détachés des nuages s'éparpilleront dans le ciel et sur les champs, glisseront sur les chemins, sortiront des bois, marcheront vers les rivières, flotteront sur le fleuve. Au lever du soleil, vous verrez que l'automne a enfin été accepté.

... Sauf par le séneçon. Près du mur, entre les pavés, dans les sillons, il montre toujours quelques fleurs nouvelles parmi ses houppes de semences; ses feuillages, touffus, fraisés, se pressent goulûment, prêts à boire encore autant de gouttes de pluie que l'automne voudra bien lui en donner, prêts à jouir encore d'autant de rayons de soleil que lui en laisseront les nuages.

BRUMES EN NOVEMBRE

Les défoliations tardives, terminées par la défaite de l'aulne, nous ayant menés jusqu'à la mi-novembre, retournons vers la Toussaint, pour interroger la terre, l'espace et le ciel.

Le début de novembre est presque toujours immobile, sombre, humide et doux. On a délivré les champs de leurs fardeaux de betteraves, et les blés d'hiver, ces maigres hampes rougeâtres, cessent de croître. La terre, la glèbe, l'humus se laissent lentement pénétrer par la fraîcheur des nuits, et par l'apaisement des pluies; ils s'imprègnent aussi de ténèbres, pendant les longues heures où règne l'obscurité. Seuls, les navets se taillent de rudes morceaux de verdure, comme s'ils ne voulaient absolument pas que l'idée du vert pût être abolie, et recueillent, aux bombures de leurs feuilles, des reflets qu'ils transforment en azur, comme pour empêcher que le ciel ne soit oublié.

Le sol, dans les bois, a reçu les feuilles mortes; maintenant, la pluie aura pour mission d'en diluer les éléments, et de filtrer les sucs jusqu'aux racines... Ainsi, l'arbre aérien rend-il à l'arbre souterrain l'essence même de son feuillage... Cet arbre souterrain, nous ne pouvons le connaître que par l'imagination. Nous avons aimé, tout l'été, le tronc dressé, là-haut, avec ses branches, ses rameaux, ses ramures et ses ramilles enrobées dans le feuillage, tout comme les racines sont engagées dans la terre. Ainsi, après nous être occupés toute l'année des êtres humains vêtus de vie, est-il bon de penser aujourd'hui à ceux qui ont pénétré dans la mort.

Supposons que la terre soit un élément transparent où, tout comme dans l'eau, nous puissions nous mouvoir. Nous verrions

131

alors, dans le sol, la forêt des racines. Elles aussi ont leurs branches tordues, se divisent en ramures, se multiplient en cent et mille radicelles. Leur délicatesse et leur grâce doivent être pareilles à celles de l'algue nommée chevelure de Vénus, qui flotte dans les étangs. Et si nous pouvions plonger dans le lac de la mort? Nous y verrions sans doute foisonner les hommes qui furent nos racines, et dont nous avons reçu notre sève, notre vie et notre âme.

Ah! que de cloches montent des campagnes! Si les âmes du purgatoire cherchent, cette nuit, le chemin du paradis, elles s'égareront, tant les sentiers sont glissants de glaise, perdus de flaques, tant le ciel est noyé de brumes.

Or, en certains soirs par trop découragés, en novembre, à force de manquer d'étoiles, j'ai trouvé dans l'herbe, près de l'étang, un ver luisant. Peut-être était-ce lui qui guidait les âmes du purgatoire.

Parfois, la nuit, le tonnerre gronde, et le Grand-Louis assure que l'orage de novembre fait cailler la saison et sépare l'automne de l'hiver, tout comme la foudre en canicule fait tourner le lait et en dissocie les éléments. Or, dans la mémoire de Louis lui-même, un orage, en novembre, précise, cristallise, isole dans les brouillards de son passé, une dure et cruelle aventure.

Par une nuit d'automne, il menait, à travers les marécages, quatre belles vaches hollandaises fraudées. Jules, son camarade, marchait en tête, puis les bestiaux, à la file, et Louis fermait la marche. Ne vous engagez pas dans ces tourbières sans bien vous y connaître... Si peu que vous vous écartiez du sentier à peine tracé et semé de flaques, vous vous trouvez à mi-corps dans une fosse bourbeuse. Louis, son compagnon et leurs vaches étaient au pire endroit lorsque des nuages, très bas, jaillit un grand éclair, suivi d'un de ces roulements qui durent et pèsent comme s'ils étaient pleins d'un jus noir.

Les vaches, saisies, s'arrêtent net... elles n'aimaient déjà pas cette marche de nuit! Le Grand-Louis et Jules essayent de les calmer en leur tapotant le dos, en leur prodiguant des paroles encourageantes : « Allons... Jo... là... voyons, Mie... Bonne bête, là, là... » Car si, à un tel moment, on les brutalise, elles sont capables de se coucher et de ne plus bouger jusqu'au jour!

Enfin, la vache de tête s'ébranle, se remet à patauger, puis, la seconde, la troisième... mais la quatrième, la belle Jo, mugit, fait un écart et se trouve dans la vase jusqu'aux épaules.

Grand-Louis connaît trop ces bêtes puissantes, lourdes, à la fois paresseuses et nerveuses, tout en pis et en panses, pour ne pas deviner ce qui arrivera.

« Va-t-en, dit-il à Jules. Mène les trois autres jusqu'à la ferme Larix. Demande au fermier son couteau à égorger les porcs et une corde solide. L'aube amènera les douaniers. Ne traîne pas. Si la vache reprend ses esprits, je te rejoindrai, sinon...

— La sacrifier? Une belle bête comme cela?

— A moins, dit Louis, que tu n'éprouves un grand désir de t'asseoir pour deux ou trois ans dans une petite chambre bien close? »

Jules part sans répondre. Louis entend s'éloigner le bruit mou du piétinement. Il suit, d'après le son, l'homme et les bestiaux. « Il tourne dans le Mülle, ils atteignent le bois du Baron... Ils traversent le sentier... une heure de marche et les voilà rendus au Larix. »

Maintenant, le silence le plus complet s'agglomère autour de l'homme et de la bête en détresse. Louis ne bouge ni ne parle. Une tranquillité absolue, voilà le seul espoir... si la bête se rassure, peut-être pourra-t-on encore l'arracher à la boue collante avant le jour... Louis sait qu'elle tremble de tous ses membres car l'eau de la flaque frémit imperceptiblement.

Parfois, on entendait venir un lourd nuage semeur de pluie, et, parfois, un éclair mourait à l'horizon. Sans ce déroulement de nuages, on aurait pu croire à une nuit immobile, permanente, définitive.

Vers une heure, Louis perçoit une lointaine rumeur : « Jules quitte le bois du Baron, il contourne le Mëlle... il s'engage dans le marais... » Et, pour guider Jules, Louis miaule lentement, comme un matou en quête d'amour.

« S'en tirera-t-elle? demande Jules, à voix basse.

— Non. Elle est folle.

— Et tu veux abattre une bête pleine?

— Dans quatre heures, les douaniers seront sur nous.

— Et tes vêtements raides de sang? Tu crois que les voisins ne verront pas Katto les laver, les frotter, les sécher?

— Ane », grogne Louis.

Il se déshabillait déjà.

Maintenant, la face déprimée de la lune au dernier quartier traîne au ciel; elle va de nuage en nuage, comme si elle mendiait. On voit vaguement luire les flaques, bouger les roseaux et se dessiner le corps tout blanc de Grand-Louis.

Il se laissa glisser dans la vase, tout contre la vache, s'embourbant jusqu'à la poitrine. « Essayons encore, Louis! » suppliait Jules en lui tendant une grosse corde. Louis mit un nœud coulant aux cornes de la bête tremblante et ils tentèrent une suprême fois de la sauver.

« Jo! la petite Jo... Là... Là... Qu'elle est bonne... et brave... Du courage, Jo, tire-toi de là, hop, Jo! »

Jules tirait sur la corde, et Louis soulevait la lourde masse... Mais, au lieu de faire émerger la vache, Louis s'enlisait lui-même... et Jo ne bougeait pas.

« Passe-moi le couteau, Jules, il faut... »

La lame brille sous la lune. Ils la tiennent bien haut, hors de la vase, pour éviter tout morfil... De la main gauche, Louis cherche et tâte soigneusement la place où il faudra frapper...

« Jo! ma fille... c'est ta propre faute... » gronde Louis.

La bête immense, paralysée de peur, ne mugit même pas. Louis la sent seulement trembler de plus en plus fort, puis de moins en moins fort, et l'eau bourbeuse devient chaude autour de lui.

« Ne lâche pas le câble, Jules, ne lâche pas! »

Dépecer une vache ainsi, la nuit, à tâtons, dans la boue. Voilà ce que le Grand-Louis est parvenu à faire. Il n'explique pas comment il s'y prit. « Les vaches... pour les tuer et les découper, il n'y a qu'une manière... » Louis dit aussi que les entrailles furent perdues et le cuir gâté. Les deux hommes, avant l'aube, parvinrent à transporter les quartiers de viande à la ferme Larix.

« Là n'est pas l'affaire, conclut Louis, mais que les circonstances puissent obliger un honnête homme à saigner une belle vache pleine, dont la peur se serait dissipée au lever du soleil!... La pire des choses!... Je préfère n'importe quelle autre besogne. Jamais je n'ai pardonné aux douaniers la mort de cette Jo. Voilà trente ans... et j'y repense chaque fois qu'il tonne en novembre. »

Dès le matin, l'atmosphère semble ne s'occuper que d'une seule chose : doser si exactement l'eau dont elle est saturée, que celle-ci reste suspendue, sans tomber , ni sans retourner aux nuages. Tous les objets distillent cette humidité et s'exercent à leur tour à l'agglomérer, à la grouper en gouttelettes, et, lorsqu'ils en sont trop chargés, à l'écouler en silence vers le sol engourdi. Ces temps brumeux atteignent vers le crépuscule leur plus grande beauté. Se promener, alors, sous les arbres, aux places les plus encombrées de feuilles tombées, et traîner les pieds, pour qu'elles bruissent, et comme si l'on voulait ne jamais arriver... arriver où? arriver au bout de ce moment de détente, de repos, de trêve. Se nourrir l'âme, simplement, de la rumeur que l'on provoque soi-même dans les feuilles mortes... Une rumeur sèche... Est-il possible? Une rumeur sèche, alors que... alors que quoi? Quel temps fait-il? *Pas* de temps. L'espace ignore tout. Nous ne savons ce que prépare le ciel, là-haut, au-dessus de tout cet équilibre parfait de l'air, de l'eau et du vent, de ce dosage dilué et crépusculaire de la lumière et de l'obscurité.

Demain... peut-être que demain nous offrira une fine gelée blanche, après que les rayons lunaires auront bu les brumes. Mais les quatre vents, comme des chats, guettent aux quatre coins de l'horizon. Si l'un d'entre eux trouve une faille au brouillard, il bondira dans l'espace, saisira l'oiseau des brumes, et le déchiquettera.

*
**

Vers minuit, la lune commence à percer les nuées. Le vent d'est est certainement complice. Mais nul souffle ne le trahit. Sa présence immobile suffit à disperser tout ce système de brumes, de gouttes équilibrées, et d'humidité suspendue. L'aube sera donc parée de gelée blanche. Cette première gelée blanche semblera bleue, tant l'herbe à laquelle elle s'attache est encore verte. C'est un rien, une argentation de l'extrémité d'un brin, la limite à peine franchie entre la rosée irisée et la gelée blanche.

Une journée fragile suit une telle aube. On dirait que de l'ambre dilué teinte l'espace. Vers midi, nous rencontrerons par les sentiers, des chèvres bêlantes et inquiètes, menées à la longe... il faut bien les conduire au bouc, si l'on veut que les prés d'avril voient bondir des chevreaux aux yeux obliques... Ainsi, l'idée du printemps subsiste, même en novembre.

Ensuite, l'est, encouragé par la docilité de l'air, se mettra à souffler. Les couleurs du ciel deviendront indicibles à force de transparence. La fin de la courte journée montera de l'herbe pointillée par l'or des feuilles, s'élèvera le long des troncs verdis, glissera dans les cimes jaune-soufre des peupliers, minera l'azur émeraudé dans l'eau des étangs, et suspendra au ciel le givre des étoiles. On ne peut croire, tant elles sont fraîches et fines, qu'elles soient les sœurs des étoiles victorieuses des nuits de janvier, ou des astres lourds et inquiets des minuits de juillet. Cependant, vers l'aube, les ailes du vent d'est s'appesantiront de

136

mouillure. Il tombe, et se perd à l'horizon, rendant au ciel son immobilité brumeuse.

*
**

Au début de novembre, le vent du sud est encore assez éveillé pour se faufiler dans l'espace, grâce à quelque distraction du brouillard. Au lieu de le déchirer, comme l'a fait son frère de l'est, il précipite toute l'eau suspendue en une averse si bien tendue, si droite, si simple, que les arbres, ni le ciel, ni la terre, ni les hommes ne s'étonnent. Elle berce ceux-ci dans leur sommeil, et si le toit en crépite, ou si la gouttière tinte fort, le dormeur se retournera plein d'aise, avec l'idée que c'est exactement ce à quoi il s'attendait... Il fait mentalement le tour de sa maison : la lucarne est-elle close? Chacun est-il rentré, couché, endormi? Le toit de l'étable est-il étanche? Les betteraves bien ensilées? Ah! tout va! le vent du sud est le bienvenu.

Mais, c'est une ondée si drue que celui qui la regarderait à l'aube se sentirait enrobé, pris, entraîné dans cette vaste rumeur verticale. Le vent du sud s'y connaît en pluies... il aura bientôt fini son travail d'averse, et le dernier matin tiède et lumineux, celui de la Saint-Martin, peut naître.

Mais où se cache ce vent du sud? Le ciel uni ne se déplace pas, l'eau ne décèle pas son passage, et pourtant son arome comble l'espace. Les nervures des feuilles mortes brillent, se colorent, on dirait des souvenirs de fruits et de lumière estivale. Les lointains bleuissent, et des buées dansent sur les labours. Une tiédeur erre, sans savoir où se poser, et finit par trouver une pâquerette. Beauté perpétuelle, bellis perennis, œil du jour!... et, près d'un mur, ou au bord d'un chemin, un séneçon. Puis, elle rejoint des baies d'églantiers, au mur méridional d'une maison. C'est là que s'attardera la tiédeur, réchauffant des nids abandonnés, ou des tiges nues. Posons la main sur les branches de l'églantier, nous saurons lesquelles sont mortes et lesquelles vivent. Seules les mortes sont chaudes, les autres gardent leur fraîcheur... tout à

137

l'encontre des porteurs d'ailes ou de mamelles, dont le froid révèle la mort et dont la chaleur prouve la vie.

Le vent d'ouest est toujours l'émissaire tumultueux du Gulf-stream. On n'attendra pas la mi-novembre, sans le voir arriver tout froid et tout ruisselant d'odeur maritime. Il saisit l'immobilité des brumes, et les transforme en gros nuages gris, à peine frangés de blanc. Il n'a pas le temps de les modeler, de les ciseler, il a trop de hâte. Il lui suffit de les gonfler de son souffle salin et tout le ciel de novembre leur obéit. Ils se suivent de si près que le soleil, maladroit et lent, ne parvient jamais à s'insinuer entre ces vastes volutes de fumée. A peine les nuages ont-ils le temps de semer quelques fugitives averses. On dirait que le vent d'ouest de novembre n'a qu'un dessein, celui d'envoyer vers l'est, le plus loin possible, tous ces trains de nuées. Ils suivent un courant, et vont plus loin, encore plus loin, jusqu'à ce que, sans doute, ils rencontrent des sommets de montagnes, et que d'autres courants, indépendants du Gulf-stream, les transforment en neige.

Novembre avance, jour par jour, pas à pas, vers l'hiver, et un matin le vent du nord arrive, faisant danser les étoiles et claquer les feux dans les cheminées.

Le vent du nord amène des nuages comme des balles d'argent, il les projette, il les pousse aussi loin qu'il peut! Les pays du sud, là-bas, parviendront bien à les défaire en pluie, en brume, à les disperser... mais ici, le vent du nord ne se lassera pas. Novembre, le faible novembre ne lui résiste jamais. Le soleil lassé n'a plus rien à dire, la brise du sud est éliminée, l'ouest, trompé, l'est, figé. Le vent du nord avancera sans une défaillance, sans un défaut, sans une hésitation. Soufflera-t-il donc ainsi jusqu'aux gelées, jusqu'au solstice d'hiver, ainsi jusqu'à l'installation définitive de l'hiver? Oui... à moins que...

A moins que, malgré tout, la respiration de la terre endormie, sa réserve de chaleur, cette sueur du corps de la glèbe, immobile et apaisé, ne soient encore victorieux du vent du nord. Car tout ce froid vient en condenser la chaleur, et lentement des brumes reparaissent et s'établissent. Elles montent des champs de navets imprégnés de sucs, des bois vivants, du sol plein de racines encore chaudes. Le vent du nord retombera derrière le volet clos des brumes. La chrysalide de novembre peut se rendormir dans son cocon de brouillards. Et nous nous glisserons de nouveau dans le crépuscule équilibré d'eau et de lumière, l'âme flottante dans l'absence du Temps-qu'il-fait, et les pieds traînant dans l'épaisseur de plus en plus lourde et mouillée des feuilles mortes.

Le jour d'hiver tombe et se dilue dans un épais brouillard, l'échoppe s'obscurcit. Une voix féminine appelle : « Jules! le café est prêt! »... Le cordonnier dépose ses outils, s'étire, soupire d'aise et se lève... Puis il regarde la fenêtre, à laquelle le brouillard s'est massé. Cette blancheur terne et fumeuse semble lui dire : « Regarde-moi, reconnais-moi. Je suis immobile, glacé, touffu; viens, comme au temps de ta jeunesse; l'anguille mordra, cette nuit... »

Mais Jules n'entend pas cet appel. « Quel temps! » se dit-il, et il se dirige vers la petite cuisine, où un joli poêle émaillé répand une intime et douce chaleur. Il y trouvera sa femme, ronde et bien en chair, et encore appétissante, sous ses cheveux blancs, et sa plus jeune fille, Maria, les joues roses, les lèvres rouges, les cheveux bien ondulés. C'est elle qui se lèvera pour servir les clients, chaque fois que retentira le timbre de la boutique... Un peu plus tard, vers quatre heures et demi, la porte du magasin sera poussée par une petite main impatiente, puis, la porte de la cuisine s'ouvrira :

« 'jour, grand'père, 'jour, grand-mère! »

Et ce sera Julia, la fille de son fils, dont il est le parrain... Elle goûtera avec eux, car elle habite loin de l'école; ce soir, son père viendra la prendre chez les vieux. Elle est toujours fraîche, pomponnée, vêtue d'un paletot chaud, d'une bonne petite robe en tricot, et d'un tablier tout croquant d'amidon... Ah! la belle-fille du cordonnier n'est pas une bûche!... soigneuse comme tout!

Jules jette encore un coup d'œil à la fenêtre :

« Tu ne m'auras plus, brouillard! »

Vraiment, peu s'en est fallu, qu'au lieu d'habiter cette jolie maison dans la banlieue d'Anvers, Jules fût livré, chaque nuit, aux eaux glacées du fleuve.

Quelle chance, mais quelle chance, que les usines aient pollué l'Escaut, et tué le poisson! Plus de pêche en amont d'Anvers, sinon, Jules serait resté là-bas, dans ce bourg pourri, rôti l'été, gelé l'hiver, transi de pluies en automne... A la fin on ne prenait plus, en toute une nuit, que quelques poignées d'anguilles. Le père de Jules avait bien pâti, jusqu'à cette aube d'hiver où soupesant ses mannes presque vides, il avait dit soudain :

« Garçon, plus rien à faire sur l'eau. Tu n'as que seize ans, tu peux encore apprendre un bon métier, un métier où l'on soit bien au chaud, bien au propre, bien à l'abri. Dès demain je te mène chez le cordonnier... au lieu d'hameçon, une alène et des clous; du cuir, en guise de filets, et comme barque, une échoppe. Quant à moi, je me louerai à la vannerie, et je vendrai notre barque. Assez crevé de faim, assez mangé de poisson de rebut... »

La mère ne disait rien, mais ses yeux brillaient, et après, peu à peu, on avait pu dépouiller la livrée de Dame Misère.

Il y avait de cela quarante ans, mais Jules s'en souvenait comme si c'était d'hier. Quarante ans!... et aujourd'hui... Aujourd'hui? — Jules, le café est prêt!

Voilà le cordonnier attablé. Tout va comme il s'y attendait. Le café au lait brûlant... non, pas de sucre. Jules, privé de sucre pendant son enfance, n'a jamais pu s'habituer à ce qu'il nomme cette fadeur gluante. Mais, une solide tranche de ce filet de cheval fumé, et du pain en tartines largement beurrées, et du fromage. Maria est appelée trois ou quatre fois par le timbre de la boutique. Les souliers du bourgmestre à remettre sur la forme, un ressemelage, une paire de pantoufles d'enfants, des caoutchoucs pour écolier...

Et voici le petit pas de Julia! Dans sa hâte d'entrer pour goûter, l'enfant néglige de refermer la porte de la boutique, et la petite main vive ouvre déjà celle de la cuisine:

« 'jour, grand-père, 'jour grand'mère!

— Enfant! enfant! lui crie la grand'mère, ferme la porte, tout le froid entre!»

...Trop tard! Le brouillard, qui guettait Jules autour de la boutique, *est* entré, et il est allé droit au cordonnier. C'est d'un ton distrait que celui-ci répond:

« 'jour Juliake... »

C'est machinalement qu'il boit son café, et mord à ses tartines... La saveur froide du brouillard a passé sur ses lèvres, l'odeur du brouillard a pénétré ses narines, et le brouillard a atteint cette place sensible, cette place de la mémoire, soustraite à la volonté, où dorment nos souvenirs primordiaux.

Non! non! ce n'est pas une chance que le poisson de l'Escaut ait péri, ce n'est pas une chance que cette vie quiète et paisible remplace, pour Jules, les rudes avatars de la pêche fluviale! Il était fait pour l'autre vie, il le sent soudain, avec une douloureuse acuité, pour cette vie des pêcheurs d'autrefois, dans ce village, dont on surnommait les habitants « les rousseroles », parce que, comme ces oiseaux, ils passaient leur vie parmi les roseaux.

Atteindre la barque échouée sur les limons visqueux, gris, irisés, où des bulles crèvent; filer, dès que la marée coule, s'ancrer au flanc d'un banc de vase, et rester là, obstinément, balancé ou pivotant lentement, si le courant le désire...

Il y a les nasses, appâtées avec des moules gâtées, ou bien, des lignes de fond, disposées en frange, afin de donner du jeu à la corde, car l'anguille, si elle se sent prise, tire, jusqu'à s'arracher les entrailles, pourvu qu'elle trouve un point d'appui. Ces lignes de fond conviennent aux nuits d'août et de septembre, alors que de grands nuages d'ouest passent comme des houles chaudes. D'autres fois, on pêche simplement à l'aide de vers de terre enfilés, l'anguille y accroche ses dents courbes, on sent des secousses dans la perche, il faut, d'un seul mouvement, tirer, et jeter l'anguille dans un petit baquet de bois posé sur l'eau. Cela, c'est pour les temps immobiles, pour les temps de brouillard, comme ce soir... comme ce soir...

Oui, rester des heures et des heures dans cette humidité glacée; le visage ruisselle, les mains se raidissent, la nuit mouillée s'agglomère en gouttes autour de tous les objets, elle s'écoule, de leurs vieux feutres usés, sur leur dos, et s'insinue lentement, malgré la toile à voile huilée dont ils sont revêtus. Les jambes, les genoux, les cuisses, s'imbibent d'eau... ne pas bouger, ne pas bouger, l'anguille s'inquiète vite.

Une petite lanterne éclaire faiblement le fond de la barque. Quand on n'en peut plus de froid et de sommeil, on se penche, et on prend, à côté de la lumière, une gourde renfermant du café, mêlé de genièvre. Il faut tenir jusqu'à l'aube, jusqu'à l'aube!...

Alors, sans même regarder les prises, tant on est las, on se remet à la rame, on amarre la barque, et, pieds nus, dans la vase, on remonte, chargé des mannes, des avirons, des engins, on remonte parmi les roseaux. L'église est debout sur la digue, on la distingue vaguement... elle sonne. Six heures. L'aube d'hiver. Ah! rentrer, manger, dormir... Jamais plus depuis lors, la chaleur, le lard, le lit, n'ont eu, pour Jules, le cordonnier, une valeur aussi grande, aussi absolue.

Pour une telle nuit... pour passer encore une telle nuit, Jules donnerait... donnerait...

« Qu'est-ce qui te chiffonne, lui demande sa femme, tu es dans la lune? »

Le cordonnier la regarde, interdit, sans répondre. Pour pouvoir répondre, il lui faut d'abord franchir d'un bond quarante années de sa vie; pour pouvoir répondre il lui faut d'abord sauter d'une aube de brouillards glacés, là-bas, en amont de Tamise, jusqu'à une cuisine lumineuse, chaude, close, odorante de bon café, où le brouillard n'a pu entrer qu'en se faufilant sur les talons d'une petite fille étourdie.

« Eh bien, père? Sont-ce les souliers du bourgmestre qui te préoccupent à ce point? »

Le cordonnier, à travers l'espace et le temps, atterrit enfin à la table de famille, il rit, et il dit le contraire de ce qu'il vient de penser : Oh! pas exprès, pas pour mentir, mais parce que ce qu'il a pensé n'est pas à dire... parce qu'il ne pourrait, même s'il le voulait, exprimer des choses aussi fugaces.

« Je pensais que, par un temps pareil... voyez-moi ce brouillard! je passais les nuits sur l'eau, avec mon père, à pêcher l'anguille. Nous rentrions à demi morts de froid... Quelle chance, que les usines aient empoisonné l'eau, et que le poisson se soit mis à manquer, à temps encore pour que je puisse apprendre ce bon métier de cordonnier... »

Au cours de novembre, peu à peu, les chemins et les mares se confondent, les prés et les ruisselets se mêlent. Les poules d'eau quittent les étangs et pataugent jusque sur les pelouses, jusque vers les lisières des bois. Elles fouillent les mousses et les herbes pour y trouver des glands, des faînes et des châtaignes. Ah! tout est bien imbibé, gorgé. Est-il possible que, vraiment, de l'azur brille au-dessus de toutes ces grisailles? Est-il possible que le hérisson, boulé au fond de quelque roncier, ne fonde, ni ne mollisse, mais reste sec, lustré, rêche, luisant, tel que nous le retrouverons dès le mois de mars?

DÉCEMBRE ET LA NEIGE

Le séneçon tient-il encore? Il tiendra, jusqu'à l'ensevelissement des neiges, jusqu'au durcissement de la gelée. Cette gelée de décembre n'est encore qu'une visiteuse nocturne, elle se contente de transir le vent et de le conduire aux frontières de la neige. Décembre est un mois confus, où se succèdent d'incertaines glaces, suivies de demi-dégels, et des matins duvetés de blanc, bientôt noyés par des midis de pluie.

Le ciel voudrait bien nous envoyer des flocons. Sans doute quittent-ils leurs nuages, tout soyeux et brillants, mais, avant d'atteindre la terre, ils sont transformés en gouttes d'eau. D'autres fois, des papillons de neige parviennent à voler jusqu'aux prairies, aux champs, aux chemins, mais tout est encore imbibé d'humidité, et les cristaux découragés fondent en touchant le sol. Il arrive aussi que la nuit ait glacé le pays, et qu'il soit prêt à recevoir la belle voyageuse, mais l'aurore oublie de le dire aux nuages, et ceux-ci, au lieu de flocons, ne livrent que de la pluie. Enfin, l'est s'empare de l'espace, et souhaite de la neige. Mais les nuages continuent à jeter de l'eau, et le sol à exhaler des buées. En ce cas les campagnes appartiendront au verglas. Chaque chemin deviendra un miroir convexe, et chaque ramille, un miracle de verre filé.

En décembre, l'accord neigeux de la terre, des nuages et du vent est donc rare. Le puissant et tiède Gulf-stream, là-bas, à l'ouest, s'y oppose.

*
**

Pourtant, quelque aurore claire nous apportera le givre. Non pas ces touches légères auxquelles se plaisent certains vents de novembre, mais un givre de féerie, une floraison plus délicate encore que la neige. On ne pourrait dire s'il est rose ou blanc, vert ou bleu... car toutes les irisations de l'aurore s'y reflètent. Il aime aussi particulièrement certaines plantes, comme la petite graminée rouge, déjà complice des rosées de septembre. Elle, si timide, qui se plaît aux terrains vagues, aux scories des chemins de fer, aux accotements des routes, la voici choisie par le plus merveilleux des météores : elle semble l'âme même du givre, chaque grappe minuscule abonde en diamants, et c'est elle que doivent interroger les adorateurs de l'aube. Hâtez-vous! Le soleil, si léger soit-il, va laver le paysage. Déjà la face orientale des arbres se mouille, déjà des rayons marchent sur le tapis des graminées, déjà des stratus se dessinent au zénith. Voici un nuage transparent comme un souffle, une vapeur... un nouveau courant passe dans l'azur. Tout le bleu se ternit, se flétrit. L'aurore disparaît dans un flot de vaguelettes rouges, puis, grises... avons-nous rêvé? Plus d'azur, plus de givre, plus d'irisations. Un coup du sud-est passe. Les arbres, l'herbe, les graminées, restituent en gouttelettes froides leurs ciselures d'argent. A midi, un grand plafond de nuages uniforme pèse sur les champs. Pourquoi sont-ils là? Ils ne bougent pas, ne pleuvent pas, ne neigent pas... on dirait qu'ils sont fixés pour toujours.

Le seul présage de neige presque certain viendra de la lune. Un soir, vous sortez et vous voyez que ses rayons imprègnent de clarté un grand champ de nuages fraîchement labourés par quelque brise d'acier. Les mottes blanches ne sont pas encore défaites, elles sont là, bien luisantes, comme de la terre mouillée, agglomérée en pelletées. Ou peut-être est-ce la lune elle-même qui vient de labourer, car elle se repose, au bord du champ. Ce champ ou ce banc se déplace lentement, tout d'un bloc, du

146

nord-est vers le sud-ouest. La masse nuageuse semble très épaisse, pourtant elle laisse filtrer la clarté lunaire et la propage de sillons blancs en sillons blancs.

Maintenant, ce n'est plus un champ, mais un lac, agité de petites lames courtes, un lac tout blanc, et l'écume de chaque lame est grise. Au milieu du lac, l'île lunaire est entourée de cercles irisés, qui se précisent, et dont le plus grand forme un halo. La partie lucide du ciel est bien oubliée, et s'il y a des étoiles, elles ne comptent pas ce soir, car il va neiger...

Mais une lente dérive n'entraînera-t-elle pas notre banc de neige vers la mer? Neige! Neige! n'oublie pas que toute la plaine, sombre et lasse, espère tes flocons!

Au moment où la lune plonge dans des lames de plus en plus serrées, la certitude de la neige nous vient. Mais comme il est rare de pouvoir surprendre la chute du premier flocon! Levez le visage, tendez les mains, fermez les yeux, les paupières sensibles révèleront peut-être un pétale de neige!

Il est aussi difficile de saisir ce premier flocon que de surprendre le moment où la surface d'un étang se couvre de glace... il y a un instant, l'espace était plein de l'odeur de la neige, mais il ne neigeait pas... la lune brassait la neige à pleins rayons, mais il ne neigeait pas. Notre visage interrogeait en vain l'air adouci, mais pas un duvet ne venait le caresser, et voici que soudain tout l'espace floconne, danse, fleurit, et que toute la lumière du ciel vient baiser la terre.

La lumière du ciel?...

Solstice d'hiver, Noël, le véritable cycle de l'année recommence. Dans cette campagne endormie, dans cette descente continue de la neige, dans cette absence absolue de tout mouvement latéral, le ciel et la terre échangent des messages. Nos cœurs sont aussi comblés de symboles que cette nuit est comblée de blancheurs. Tenons-nous au centre de tout, comme si nous étions la rose des vents, immobile, au commencement du monde.

Te souviens-tu de la Saint-Jean d'été? Finis, à ce moment-là, la poussée, le printemps, les épousailles, et tout ce que l'on peut espérer et attendre de l'avenir! C'est pourquoi, dans la splendeur bleue de juin, une grande angoisse nous saisissait. Cette nuit-ci, vois, tout est à recommencer, à construire, tout est espoir. La lumière vient de naître.

Mais d'abord, il faut accepter l'hiver, rentrer, se coucher, dormir, car cette nuit de neige sera la plus longue qu'il y eût jamais.

*
**

Quand la neige tombe en Flandre, tous les petits enfants battent des mains et l'accueillent en chantant : « L'Enfant-Jésus secoue son petit lit. Et le duvet s'envole-vole-vole... »

Après les enfants, ceux qui se réjouissent le plus, ce sont les peintres. Y en a-t-il, des disciples de saint Luc, en pays flamand! Des vieux et des jeunes, des géniaux et des incapables, des gras, des maigres, des timides, des audacieux, des rassasiés, des affamés, des décorés, des titrés, d'autres, avec un talent formidable dans leur poche, à côté d'un porte-monnaie vide... sans parler des peintres du dimanche, dont chaque village possède au moins deux ou trois spécimens. Eh bien, depuis le temps de Breughel, tous, sans exception, sautent sur leurs crayons, leurs couleurs, leurs pinceaux. A nous! les toiles, les papiers d'aquarelle, les petits panneaux faits d'une caisse à cigares ou d'un vieux fond d'armoire! En avant! tableaux, eaux-fortes, dessins, lavis... Les peintres fixeront cette heure délicate, et si divine, pour leurs yeux sensibles à la beauté, qu'eux aussi sont tentés de croire que l'Enfant-Jésus intervient dans ce doux miracle.

Ah! La neige n'a pas ici la majestueuse grandeur qu'elle atteint dans les pays du nord ou sur les Alpes. Elle est instable, souple, capricieuse, fugitive, changeante... Tous les défauts que les hommes — bien à tort — reprochent aux femmes, mais elle a aussi la grande qualité qu'on leur accorde : elle est belle.

Je connais des tableaux où le peintre s'est bien dépêché (elle

148

va fondre... elle fond déjà... vite! vite!). Il a tout juste le temps de la regarder par la fenêtre et il l'a reproduite ainsi, vue du premier étage, dans un jardin de petite ville, avec une fausse perspective, et pendant qu'elle formait de hauts et légers gâteaux blancs sur la table de jardin verte et sur les chaises de fer...

Je me souviens de toiles où l'artiste n'osa même pas attendre que la neige fût tombée. Il l'a peinte dans sa chute tourbillonnante, sur un fond presque indistinct de bois ou de maison; il l'a représentée, non comme un objet, mais dans son activité même de météore.

De naïfs manieurs de pinceaux offrent des neiges pour jeunes filles, poudrées, jolies, sucrées, givrées sur les petites joues roses des toitures, sous les yeux bleus du petit azur... des neiges sorties toutes pimpantes de chez le coiffeur. D'autres barbouilleurs, restés romantiques, montrent des masses tragiquement livides, traversées par des chevaux maigres et des charretiers hâves.

Mais tous les artistes, tous, rêvent de peindre un jour une nativité qui sera bien belle, avec le manteau bleu, l'enfant rose, saint Joseph blanc; le plumage irisé des anges, et dehors, une nuit de neige pleine du floconnement des étoiles.

Après les enfants et les peintres, les plus heureux sont les poètes. Eux aussi foisonnent en Flandre; ils y fleurissent même en deux variétés. Les uns, moins nombreux, font rimer en français, neige et protège ou bien allège et neige... s'ils veulent être « modernes », ils risqueront même neige et cierge... Les autres rassemblent *neige* et *siècle*, parce que ces mots se terminent en flamand par le même son : sneeuw et eeuw. Tous, dans leurs poèmes, mêlent la neige à leur âme, à leur amour, à leur douleur; tous rêvent à la Noël, au cantique des anges, et à la paix promise aux hommes de bonne volonté.

Or, voici qu'une neige de bonne volonté s'applique à tomber tout juste à Noël. Oh! quelle paix enveloppe notre pays de prairies, de canaux, et nos champs encadrés de peupliers. L'eau de nos rivières atteint des couleurs profondes d'argent oxydé, et le pays environnant en semble plus blanc encore.

149

Une neige de bonne volonté, un jour de Noël! Venez, je vous conduirai en des lieux que j'aime particulièrement. Nous marcherons dans la neige neuve et fragile, d'abord, sur une digue, puis, nous suivrons une petite chaussée qui serpente, nous passerons l'eau dans une barque verte, nous traverserons des oseraies aux tiges jaunes et rouges; je vous mène vers une Bethléem de ce pays.

Nous marchons comme les rois Mages. Vous, les peintres, vous offrirez la lumière, pareille à de l'or, que vous recueillez dans vos yeux, tout le long de l'année. Vous, les poètes, vous apporterez l'encens léger de vos rêves rythmés, et vous, les petits enfants, la myrrhe, ce présent mystérieux, comme l'avenir vers où vous courez.

A la croisée de deux chemins, dont l'un vient du fleuve pour aller dans les champs, dont l'autre sort d'un bois et va vers le village, voici la Sainte Vierge, dans sa chapelle, debout en robe de velours, avec son enfant en robe dorée.

Voulez-vous que je vous dise son doux nom? Elle s'appelle Notre-Dame-de-bonne-volonté. Saluez-la, adorez-la, c'est d'elle que le monde a besoin, afin d'obtenir la Paix.

La Neige-de-bonne-volonté, sa servante blanche, s'est posée à ses pieds. Elle y restera jusqu'à ce soir, jusqu'à demain peut-être, jusqu'au moment où le vent lui dira une chanson tiède. Alors, docile, elle voudra chanter aussi et s'écoulera en gouttes murmurantes.

... Et les petits enfants, les peintres et les poètes se réveilleront de leur rêve.

Mais un jour, sans doute, l'est nous amènera une autre neige, une neige au vol horizontal. On ne comprendra pas pourquoi le sol branchit, tant on la verra se déplacer rapidement vers l'ouest. Qu'importe l'humidité dont ruissellent encore les arbres, les flocons s'y collent et s'y figent; qu'importent les flaques sur le sol, les flocons les glaceront; qu'importe la face ridée des étangs, la neige va les agglutiner en croûtes grises. Allez dans un bois! Si vous y pénétrez par le sud ou par le nord, vous ne verrez qu'un demi-paysage de neige, t, l'après-midi, quand le couchant rougeoiera, le côté des troncs, encore mouillé, mirera cette lumière enflammée, tandis que la face Est, garnie de neige, reflètera tout l'argent bleu de l'orient. Enfin, le vent de neige et le grand nuage étant passés, le ciel sera livré à la pureté d'une nuit gelée.

Avec ce nuage de l'est, décembre s'est envolé.

Le séneçon tient-il encore? Il a disparu, défait et flétri.

Pourtant, les premières caresses du vent du sud, les premières larmes de pluie nous le rendront. De la mort du séneçon, à sa naissance, il n'y a pas loin; pas plus que de la mort d'un vieillard à la naissance d'un enfant. Mort et naissance ne sont séparées que par la glace de la tombe et la neige de l'oubli.

Mais il suffit d'un baiser d'amour et d'un cri de douleur pour qu'un nouveau printemps vienne au monde.

(Da capo.)

Marie GEVERS.

Commencé du plus loin qu'il m'en souvienne, écrit en 1938, sera continué toute ma vie.

TABLE

MARIE GEVERS
La vie, l'œuvre, l'époque
1883-1975

1883

30 décembre : naissance de Marie Gevers à Missembourg, domaine de sept hectares, situé à Edegem (près d'Anvers), que ses parents avaient acquis en 1867. Marie a cinq frères plus âgés qu'elle.

« La campagne où nous vivions était plane comme une main bien ouverte, et l'étang balançait son miroir au creux de la paume ». (*Vie et mort d'un étang*)

Mort de Wagner, Pirmez, H. Conscience, Juliette Drouet.
Naissance de Kafka, Ortega y Gasset, Marie Noël.
Bruxelles : inauguration du Palais de Justice (Pœlaert).
Nietzsche : *Ainsi parlait Zarathoustra*.
Verhaeren : *Les flamandes*.

1885

Mort de Victor Hugo.
Naissance de Sinclair Lewis, Ezra Pound, F. Mauriac, F. Crommelynck, Marie Laurencin.
Belgique : Léopold II, souverain de l'Etat indépendant du Congo.
Zola : *Germinal*.

1886

Mort de Emily Dickinson.
Loti : *Pêcheur d'Islande*; De Vogüé : *Le roman russe*.
Belgique : fondation de *La Wallonie* (A. Mockel).

1888

Naissance de Katherine Mansfield.
A. Strindberg : *Mademoiselle Julie*.
G. Eekhoud : *La nouvelle Carthage*.

1889

Marie n'ira jamais à l'école. Sa mère lui apprend le français dans *Les aventures de Télémaque* et l'instituteur de Vieux-Dieu lui donne à domicile des leçons de calcul. « J'étais, ainsi que beaucoup d'enfants de la bourgeoisie flamande élevée exclusivement en français par mes parents (...) Mais toute la part populaire de ma vie restait flamande, toute l'humanité, représentée par moi, par les paysans et les gens du village (...) je restais un sauvage petit être flamand. » *(Madame Orpha)*

Naissance de Charlie Chaplin.
Exposition universelle de Paris.
H. Bergson : *Essai sur les données immédiates de la conscience.*
P. Bourget : *Le disciple.*
Maeterlinck : *Serres chaudes.*
Van Gogh : période d'Arles.

1891

Mort de Rimbaud.
Naissance de Agatha Christie, Henry Miller.
Alliance franco-russe.
Selma Lagerlöf : *La saga de Gösta Berling.*
Belgique : le général Boulanger se tue au cimetière d'Ixelles sur la tombe de sa maîtresse.

1892

Mort de Walt Whitman. Naissance de Pearl Buck.
Crise anarchiste en France.
G. Rodenbach : *Bruges-la-Morte.*
Les masques singuliers de J. Ensor (M.B.A. Brux.)

1895

Mort de Berthe Morisot.
H.G. Wells : *La machine à explorer le temps.*
M. Elskamp : *Six chansons de pauvre homme.*
Horta construit l'hôtel Solvay à Bruxelles.
Film : *L'arroseur arrosé* (Frères Lumière).
Christophe : *La famille Fenouillard.*

1896

Mort de Verlaine, Harriet Beecher-Stowe.
Naissance de Ch. Plisnier.
A. Jarry : *Ubu Roi.*
Verhaeren : *Les heures claires.*
Les lutteurs de Jef Lambeaux.

1898

Marie lit beaucoup : Jules Verne, Walter Scott, L'Odyssée... Elle connaît le néerlandais, le français, l'anglais, des rudiments d'allemand. Encouragée par la tante Tilla, elle découvre aussi les poètes contemporains : Verlaine, Verhaeren (*Les heures claires*), Elskamp (*Chansons de pauvre homme*), Maeterlinck (*Serres chaudes*).

Mort de Mallarmé, G. Rodenbach.
Naissance de M. de Ghelderode, Magritte.
Les Curie découvrent le radium.
Nymphéas de Monet, *Le cheval blanc* de Gauguin, *L'ivrogne* de E. Laermans (M.B.A. Brux.)
Pelléas et Mélisande de G. Fauré.

1899

Naissance de Henri Michaux.
Guerre des Boers.
Mise au point de l'aspirine.
E. Le Roy : *Jacquou le Croquant;* R. Bazin : *La terre qui meurt.*
E. Demolder : *La route d'émeraude;* J. Dominique : *Un goût de sel et d'amertume.*
Toulouse-Lautrec : série du *Cirque; L'espagnol à Paris* de H. Evenepœl.
Pavane pour une infante défunte de M. Ravel.

1904

Naissance de Pablo Neruda.
L'entente cordiale franco-britannique.
R. Rolland : *L'aube* (1er vol. de *Jean-Christophe*).
Renée Vivien : *La Vénus des aveugles.*
Ch. Van Lerberghe : *La chanson d'Eve;*
E. Glesener : *Le cœur de François Remy;*
H. Krains : *Le pain noir.*

1905

Mort de Constantin Meunier, Louise Michel.
Naissance de Kœstler, Sartre.
Rachilde : *Le meneur de louves.*
Tête de Christ de Rouault.
La mer de Debussy.
Bruxelles : construction de l'Arcade du Cinquantenaire.

157

1907

Séjours chez Verhaeren à Saint-Cloud.
Marie Gevers lui soumet ses premiers
essais littéraires.
Décès de Florent Gevers, père de Marie.
Premiers poèmes publiés dans la revue
Durendal, Bruxelles.

Mort de Ch. Van Lerberghe.
Charles-Brun: *Les littératures
provinciales;* J. Aicard: *Maurin des Mau-
res.*
A. de Noailles: *Les éblouissements.*
S. Lagerlöf: *Nils Holgersson;* Tereza
Novakova: *A la ferme de Libra;*
H. Roland Holst: *Chemins montants.*
Portrait de Verhaeren par T. Van
Rysselberghe (Pal. Ac. Brux.)
M. Leblanc invente Arsène Lupin.

1908

27 février: Marie épouse Frans Willems,
neveu de l'écrivain Antoon Bergman
(*Ernest Staes*) et parent de Jan-Frans
Willems, le « père du mouvement
flamand ».
Voyage en Provence.
Le jeune ménage s'installe dans une aile de
Missembourg.

Naissance de Simone de Beauvoir.
L'Etat indépendant du Congo devient le
Congo belge.
Colette: *Les vrilles de la vigne.*
Maeterlinck: *L'oiseau bleu;* P. Spaak:
Kaatje.
Œuvres non figuratives de Picabia.

1909

Naissance de Jean Willems.

Naissance de Malcolm Lowry.
Avènement du roi Albert.
Blériot traverse la Manche, Peary atteint
le pôle Nord.
Naissance de la N.R.F.
Florence Barclay: *Le rosaire.*
F. Hellens: *Les hors-le-vent.*
Premier manifeste futuriste (Marinetti).
Les ballets russes à Paris (Diaghilev, Anna
Pavlova).

1910

L.Pergaud: *De Goupil à Margot;* G.
Roupnel: *Nono;* M. Audoux:
Marie-Claire; Cécile Sauvage: *Tandis que
la terre tourne.*
Mistinguett dans *La vie parisienne.*
*Maurice Utrillo, sa grand-mère et son
chien* de Suzanne Valadon.

1912
Naissance de Paul Willems.

Belgique : service militaire obligatoire.
P. Claudel : *L'annonce faite à Marie;*
Kandinsky : *Du spirituel dans l'art.*
Pierrot lunaire (musique sérielle) de
Schœnberg.
La repasseuse de Rik Wouters (M.B.A.
Anvers), *Jeunes filles aux bas blancs* de L.
Spilliaert (M.B.A. Ostende).
E.R. Burroughs invente Tarzan.

1913
Poèmes publiés dans *Le mercure de
France.*

Mort de C. Lemonnier. Naissance de F.
Marceau, de Dominique Rolin.
Alain-Fournier : *Le grand Meaulnes.*
Le sacre du printemps de Stravinski, *Le
martyre de Saint-Sébastien* de
D'Annunzio et Debussy (Ida Rubinstein).

1914-1916
Séjour à Walcheren (qui inspirera à Marie
Gevers *Château de l'Ouest*).
Frans Willems part s'engager en
Angleterre. Retour à Missembourg de
Marie et de ses deux enfants.
Fréquents entretiens avec Max Elskamp.

Mort de Verhaeren, de Ch. Péguy.
Le 4 août, la Belgique est entraînée dans la
Première guerre mondiale. Bataille de
Verdun.
Travaux d'Einstein sur la relativité.
M. Proust : *A la recherche du temps
perdu;* H. Barbusse : *Le feu.*
Film : *La naissance d'une nation*
(Griffith).

1917
Missembourg. Poèmes. Bois de Max
Elskamp. Anvers, Buschmann.
La propriété familiale inspirera également
Madame Orpha (1933), *Guldentop*
(1935), *Vie et mort d'un étang* (1961).

Les Etats-Unis dans la guerre. Révolution
en Russie.
Edith Wharton : *Eté.*
Satie, Cocteau, Picasso : *Parade* (1er
spectacle cubiste).

1918
Retour d'Angleterre de Frans Willems.

Mort de Debussy.
Naissance d'I. Bergman.
Révolution allemande. Armistice.
Manifeste dada. Le jazz arrive en Europe.
Homme à la guitare de Braque.
La récolte des pommes de terre de Jakob
Smits (M.B.A. Brux.), *Les dormeurs* de G.
Van de Wœstijne (M.B.A. Anvers).
Film : *Charlot soldat.*

1920

Naissance d'Antoinette Willems.

Belgique : création de l'Académie royale de langue et de littérature françaises.
Sigrid Undset : *Kristine Lavransdater* (1920-1922).
F. Hellens : *Mélusine;* F. Crommelynck : *Le cocu magnifique;* A. Baillon : *Moi quelque part...*

1922

Ceux qui reviennent. Récits. Dessins de Frans Willems. Bruxelles, La Renaissance d'Occident.
Marie Gevers en tirera en partie *Guldentop* (1935).

Mort de Proust. Naissance de J. Kerouac, de Robbe-Grillet.
Staline au pouvoir en U.R.S.S.
Marche de Mussolini sur Rome.
Joyce : *Ulysse,* K. Mansfield : *Garden party.*
R. Martin du Gard : *Le cahier gris* (1er vol. des *Thibaut*), H. Pourrat entreprend *Gaspard des montagnes,* Marie Lenéru : *Journal.*
H. Stiernet : *Le roman du tonnelier.*
Films : *La roue* (A. Gance), *La souriante Madame Beudet* (Germaine Dulac).

1923

Décès de la mère de Marie Gevers.
Partage du domaine de Missembourg.
Les arbres et le vent. Poèmes. Bruxelles, R. Sand.

Mort de K. Mansfield, Sarah Bernhardt, P. Loti.
J. Delteil : *Sur le fleuve Amour,* Mauriac : *Génitrix,* A. de Chateaubriant : *La Brière,* Colette : *Le blé en herbe.*
F. Hellens : *Réalités fantastiques.*
Pacific 231 de Honegger.
Les fiancés de C. Permeke (M.B.A. Brux.)
Film : *Les rapaces* (von Stroheim).
Naissance de Radio-Belgique.

1924

Mort de Lénine, de Eleonora Duse.
Breton : *Manifeste surréaliste.*
Th. Mann : *La montagne magique,* Mary Webb : *Sarn.*
Rhapsody in blue de Gershwin, *La naissance de la lyre* d'A. Roussel.
Belgique : exposition du groupe de Laethem Saint-Martin.

1925

Antoinette. Poèmes. Anvers, Buschmann.
Ce recueil est inspiré à Marie Gevers par
la naissance de sa fille.

Accords de Locarno.
Gide: *Les faux-monnayeurs,* P.J. Jouve:
Paulina 1880.
A. Chamson: *Roux le Bandit,* M.
Genevoix: *Raboliot,* Ch.F. Ramuz:
L'amour du monde.
H. Davignon: *Le pénitent de Furnes;* J.
Ray: *Contes du whisky.*
L'enfant et les sortilèges de Ravel,
Wozzeck de A. Berg.
Films: *Le cuirassé Potemkine*
(Eisenstein), *La ruée vers l'or* (Chaplin).

1926

Mort de Cl. Monet. Naissance de M.
Butor.
Invention de la télévision (Baird).
Prix Nobel de littérature à Grazia
Deledda.
Aragon: *Le paysan de Paris,* Bernanos:
Sous le soleil de Satan.
Margaret Kennedy: *La nymphe au cœur
fidèle.*
L'idiot devant l'étang de F. Van den
Berghe (M.B.A. Gand).
Sculptures en fil d'acier de Calder.
Films: les premiers *Mickey Mouse.*

1927

Mort de Mary Webb, de G. Eekhoud, de
Juan Gris.
Lindbergh traverse l'Atlantique.
J. Tousseul: *Le village gris,* J. de
Boschère: *Marthe et l'enragé.*
La grande forêt de Max Ernst, *Dimanche
après-midi* de E. Tytgat (M.B.A. Brux.)
Premier film parlant aux U.S.A.

1929

Début de la crise économique aux
Etats-Unis.
Faulkner: *Le bruit et la fureur.*
Colette: *Sido,* Vicki Baum: *Grand-Hôtel,*
Irène Némirovski: *David Golder.*
H. de Man: *Au-delà du marxisme,* M. de
Ghelderode: *Barabbas,* Neel Doff: *Dans
les bruyères.*

161

1930
Almanach perpétuel des jeux d'enfants.
Poèmes. Illustrations de Félix
Timmermans. Anvers, Buschmann.

Naissance de Fr. Mallet-Joris.
Manifeste du roman populiste.
A. Malraux : *La voie royale,* J. Giono :
Regain, E. Dabit : *Hôtel du Nord,*
Germaine Beaumont : *Piège.*
Gertrude Stein : *Dix portraits,* Fannie
Hurst : *Back street.*
Films : *Le sang d'un poète* (Cocteau),
L'ange bleu (von Sternberg), *L'âge d'or*
(Bunuel).

1931
Brabançonnes à travers les arbres.
Poèmes. Anvers, Lumière.
La comtesse des digues. Roman. Préface
de Charles Vildrac. Paris, Attinger.
« Le village où se déroule l'histoire de la
Comtesse des Digues s'appelle *Le Weert.*
Il est situé en plein cœur de ce pays soumis
au régime des marées de l'Escaut, et
toujours exposé aux inondations. »
(Marie Gevers)
*Bruyère blanche ou le bonheur de la
Campine.* Contes pour les enfants.
Illustrations de Jean Stiénon du Pré.
Paris-Bruges, Desclée De Brouwer.
Marie Gevers publie également la
première de ses nombreuses traductions
du néerlandais : *Ma sœur Antoinette* de
Lode Zielens.

Mort de Max Elskamp.
Saint-Exupéry : *Vol de nuit.*
Virginia Woolf : *Les vagues.*
R. Poulet : *Handji,* H. Chatelion :
Sous-Dostoïevsky, Simenon :
Pietr-le-Letton (naissance de Maigret),
France Adine : *La cité sur l'Arno.*
Sculptures-objets de Giacometti.
Film : *Jeunes filles en uniforme* (Léontine
Sagan).

1933
Marie Gevers se consacre désormais à la
prose. « L'aventure humaine me devenait
plus proche, m'intéressait davantage,
surtout au point de vue féminin... C'est
ainsi que j'ai quitté la poésie pour le
roman. Quitté? Non pas, car la poésie et
le sentiment de la poésie occupent une
place importante dans mes romans. »
(Lettre à Jeanine Moulin)
Madame Orpha ou la sérénade de mai.
Roman. Paris, Attinger.
« Cette histoire est à la fois celle de
l'enfance, d'un violent amour, d'un vaste
jardin entre les fermes anversoises et de
toute la nature. L'accent de Lucrèce est au
fond de cet accent flamand. » (M. Thiry)

Hitler au pouvoir.
A. Malraux : *La condition humaine,* G.
Duhamel : début de la *Chronique des
Pasquier.*
H. Michaux : *Un barbare en Asie.*
R. Vivier : *Folle qui s'ennuie.*
Compositions abstraites de Moore.
Films : *Soupe aux canards* (Marx
Brothers), série des *Popeye* (Fleischer).

1934
Voyage en Italie.
Madame Orpha obtient le Prix Populiste.

Mort de H. Krains.
Chine : début de la *Longue marche*.
Belgique : avènement de Léopold III.
Découverte du neutron (Chadwick).
H. Miller : *Tropique du Cancer*.
Ch. de Gaulle : *Vers l'armée de métier*.
G. Chevallier : *Clochemerle*.
E. de Haulleville : *Voyage aux îles Galapagos*.

1935
Guldentop. Histoire d'un fantôme.
Bruxelles, Durendal, Paris, Lethielleux.
Les oiseaux prisonniers et quatre autres jeux de la mémoire. Contes. Anvers. Edts du Parc.
Le voyage de Frère Jean. Roman. Paris, Plon.
Membre de la Libre Académie Picard.

Guerre italo-éthiopienne.
Fission de l'atome (Fermi). Découverte des sulfamides.
H. de Montherlant : *Service inutile*.
Nu rose de Matisse, *Printemps* de J. Brusselmans (M.B.A. Anvers), *Kermesse villageoise* de G. De Smet (M.B.A. Gand).
Film : *La kermesse héroïque* (J. Feyder).

1936
Histoire de Chouchou, chien autodidacte.
Conte pour enfants. Illustrations de Eric de Némès. Bruxelles, l'Edition universelle.

Début de la guerre civile espagnole.
Axe Rome-Berlin. Pacte antikomintern (Allemagne-Japon).
France : front populaire. Belgique : apparition du mouvement rexiste, de tendance fasciste.
L.F. Céline : *Mort à crédit*.
Margaret Mitchell : *Autant en emporte le vent*.
Ch. Plisnier : *Mariages*, O.P. Gilbert : *Mollenard*, A. 't Serstevens : *L'or du Cristobal*.
Guernica de Picasso.
Film : *Les dieux du stade* (Leni Riefensthal).

1937
La grande marée. Nouvelle. Frontispice de Paul Willems. Liège, Desœr.
La ligne de vie. Roman. Paris, Plon.
Election à l'Académie royale de langue et de littérature françaises.

Guerre sino-japonaise.
Découverte du nylon.
A. Malraux : *L'espoir*, A. Breton : *L'amour fou*, G. Bachelard : *La psychanalyse du feu*.
Le prix Goncourt à Ch. Plisnier (*Faux passeports*).
Karen Blixen-Finecke : *Une ferme africaine*.
Film : *La grande illusion* (J. Renoir).

1938

Discours de réception de Marie Gevers à l'A.R.L.L.F. (Eloge de Léopold Courouble). Bruxelles, Palais des Académies.
Plaisirs des météores ou le livre des douze mois. Paris, Stock.
« Les météores représentent dans son œuvre les mille aspects de la nature en laquelle nous avons reconnu son principal personnage. » (A. Jans)

« Anschluss » de l'Autriche et de l'Allemagne. Crise des Sudètes.
Conférence de Munich.
Réalisation du stylo à bille.
J.P. Sartre : *La nausée,* J. de La Varende : *Le centaure de Dieu.*
Karin Boye : *Souvenirs et impressions.*
A. Masson : *Vie du bienheureux Toine Culot, obèse ardennais,* Fr. André : *Quatre hommes dans la forêt.*
Lhote : *Traité du paysage.*
Quatuor à cordes op. 28 de A. Webern.

1939

Séjour en Provence.

Mort de Freud.
Victoire franquiste en Espagne. Pacte de non-agression germano-soviétique.
Invasion allemande de la Pologne.
La France et l'Angleterre en guerre (3 sept.)
Nathalie Sarraute : *Tropismes.*
Le temps n'a pas de rives de Chagall.
Film : *La chevauchée fantastique* (J. Ford).

1940

Exode : de Missembourg à Saint-Rémy en Provence.

Offensive allemande à l'Ouest : invasion de la Belgique (le 10 mai).
Armistices franco-allemand et franco-italien.
Bataille aérienne d'Angleterre.
Découverte du plutonium.
Carson McCullers : *Le cœur est un chasseur solitaire.*

1941

L'amitié des fleurs. Légendes florales de chez nous. Pointes sèches de Joris Minne. Anvers, Le Papegay.
La petite étoile. Conte. Lithographie d'Albertine Deletaille. Bruxelles, Edts des Artistes.
Paix sur les champs. Roman. Paris, Plon. Inspiré par la Campine (Heist-op-den-Berg).
Débuts littéraires de Paul Willems : *Tout est réel ici,* récit.

Mort de Virginia Woolf, de Neel Doff.
Offensive allemande contre l'U.R.S.S.
Charte de l'Atlantique.
Pearl-Harbor. Entrée des Etats-Unis dans la guerre.
M. Blanchot : *Thomas l'Obscur.*
L'oiseau de Brancusi.
Film : *Citizen Kane* (O. Welles).

1942
Réédition de *Guldentop*, augmentée de trois chapitres et de contes inédits (Bruxelles, Libris).

Mort de Stefan Zweig.
El Alamein. Débarquement en Afrique du Nord.
A. Camus: *L'étranger*, Montherlant: *La reine morte*, Aragon: *Les yeux d'Elsa*, F. Ponge: *Le parti pris des choses*.
D. Rolin: *Les marais*, E. Pollet: *Un homme bien*, P. Willems: *L'herbe qui tremble*.
Film: *Les visiteurs du soir* (M. Carné).

1943
La grande marée. Roman. Frontispice de René de Pauw. Bruxelles, La Mappemonde.
Plusieurs contes pour les enfants, illustrés par Albertine Deletaille (Bruxelles, Edts des Artistes).
L'oreille volée. Roman détective féerique pour les enfants. Illustrations d'Antoinette Willems. Bruxelles, Les Ecrits.
Jean Willems, fils aîné de Marie Gevers, est tué dans le bombardement de Malines.

Mort de Simone Weil.
Stalingrad. Débarquement allié en Italie. Chute de Mussolini.
J.P. Sartre: *L'être et le néant*.
Film: *Le corbeau* (H.G. Clouzot).

1945
Réédition de *La grande marée*, Paris, Plon.
Le 13 janvier: décès de Frans Willems, époux de Marie.
« O mon cher compagnon de toujours. Toi, arrêt du cœur. » (*Vie et mort d'un étang*)

Mort de Anne Frank.
Conférence de Yalta. Bombes atomiques sur Hiroshima et Nagasaki. Capitulation de l'Allemagne et du Japon.
Réalisation du premier ordinateur électronique.
Gabriela Mistral, prix Nobel de littérature.
Traduction du *Zéro et l'infini* de Kœstler.
H. Bosco: *Le mas Theotime*, J.L. Bory: *Mon village à l'heure allemande*.
M. Thiry: *Echec au temps*, P. Willems: *Blessures*.
Films: *La bataille du rail* (R. Clément), *Rome, ville ouverte* (Rossellini).

1946

Quatrième République française.
Parution du dernier volume des *Hommes de bonne volonté* (J. Romains).
Adamov: *L'aveu*, M. Leiris: *Aurora*, A. Pieyre de Mandiargues: *Le musée noir*, Zoé Oldenbourg: *Argile et cendres*.

Kazantzakis : *Alexis Zorba*.
Films : *Le monde de Paul Delvaux* (H. Storck, Belg.), *Les portes de la nuit* (M. Carné).

1947

Le voyage sur l'Escaut. Essai romancé. Dessins de Jean Winance. Paris-Tournai, Casterman.
Le livre le plus important que Marie Gevers ait écrit pour la jeunesse.

Mort de Ramuz.
Plan Marshall. Formation du Bénélux.
A. Camus : *La peste*, R. Queneau : *Exercices de style*, B. Vian : *L'écume des jours*, J. Genet : *Les bonnes*.
Marie Noël : *Chants et psaumes d'automne*, Béatrix Beck : *Barny*, E. Barbier : *Les gens de Mogador*.
Films : *Louisiana story* (Flaherty), *Paris 1900* (Nicole Vedrès).

1948

Château de l'Ouest. Roman. Paris, Plon.
« J'ai toujours aimé cette jeune femme réfugiée dans l'île de Walcheren, enceinte et pourtant comme indécise sur le sens de son existence. » (G. Sion)
Premier des trois séjours au Congo belge qui inspireront *Des mille collines aux neuf volcans* et *Plaisir des parallèles*.

Mort de Bernanos.
Début du blocus de Berlin. Création de l'Etat d'Israël.
Invention du transistor. Le bathyscaphe d'A. Picard.
H. Bosco : *Malicroix*, M. Druon : *Les grandes familles*, Thyde Monnier : *Les Desmichels* (1937-1948).
Fondation de « Cobra ».
Film : *Le voleur de bicyclette* (De Sica).

1949

L'herbier légendaire. Essai. Paris, Stock.

Mort de Maeterlinck, de Sigrid Undset.
Proclamation de la République populaire de Chine.
Reconstruction de Rotterdam.
Traduction du *Désert des Tartares* (D. Buzzati).
J. Prévert : *Paroles*, R. Merle : *Week-end à Zuydcote*.
P. Willems : *Le bon vin de Monsieur Nuche*, *La chronique du cygne* et *Lamentable Julie*.
Sidney Bechet et Charlie Parker jouent à Paris.

1950

Le chemin du paradis. Contes pour les enfants. Ill. de N. Degouy. Bruges, Desclée De Brouwer.

Début de la guerre de Corée.
Traduction de *Au-dessous du volcan* (Malcolm Lowry).

166

La comtesse des digues. Edition pour la jeunesse revue par l'auteur. Bruxelles, Durendal.
Une amitié amoureuse de Charles Rogier. Anvers, Le Papegay.

G. Poulet : *Etudes sur le temps humain,* Simone Weil : *La connaissance surnaturelle.* ·
Stabat Mater de F. Poulenc, *Messe de la Pentecôte* de O. Messiaen.
Le temps du be-bop.
Films : *Rashomon* (Kurosawa), *Los olvidados* (Buñuel).

1951

Deuxième séjour au Congo et au Ruanda.

Abdication de Léopold III. Baudouin Ier lui succède.
J. Gracq : *Le rivage des Syrtes,* Giono : *Le hussard sur le toit,* M. Yourcenar : *Les mémoires d'Hadrien,* L. de Vilmorin : *Madame de.*
P. Willems : *Peau d'ours.*
L'âge de fer de Paul Delvaux (M.B.A. Ostende).
Film : *Le journal d'un curé de campagne* (R. Bresson).

1952

Mort de Plisnier, de Maria Montessori.
M. Proust : *Jean Santeuil.*
Ionesco : *Les chaises,* Beckett : *En attendant Godot.*
P. Willems : *Air barbare et tendre.*
Traduction de *Fictions* (J.L. Borges).

1953

Des mille collines aux neuf volcans (Ruanda). Paris, Stock.
« D'une nature à l'autre, des terres basses de l'Escaut aux altitudes du Ruanda, c'est la même attention, la même pureté, le même accueil aux hommes et au monde. » (G. Sion)

Mort de Staline, de P. Eluard.
Le 1er février, un raz de marée envahit une partie de la Hollande. Les digues du Weert (cf. *La comtesse des digues*) résistent.
A. Robbe-Grillet : *Les gommes,* R. Barthes : *Le degré zéro de l'écriture.*
E. Noulet : *Le premier visage de Rimbaud.*
Traduction de *La chasse aux canards* (H. Claus) et de *La harpe d'herbe* (T. Capote).
Films : *Les contes de la lune vague après la pluie* (Mizoguchi), *Les vacances de M. Hulot* (J. Tati), *Un siècle d'or* (P. Haesaerts, Belg.)

167

1954

Où va le roman?, Bruxelles, Palais des Académies.

Mort de Colette.
Diên Biên Phu.
Premier sous-marin à propulsion nucléaire.
F. Sagan : *Bonjour tristesse*, S. de Beauvoir : *Les mandarins.*
F. Hellens : *Mémoires d'Elseneur*, J.A. Lacourt : *La mort en ce jardin.*
L'empire des lumières de R. Magritte (M.B.A. Brux.)
Le marteau sans maître de P. Boulez.
Film : *La strada* (Fellini).

1955

Troisième séjour au Congo.
Réédition de *La comtesse des digues* avec une préface de l'auteur (Bruxelles, Vromant).

Mort de Claudel, Einstein, Teilhard de Chardin, Th. Mann, James Dean.
Cl. Levi-Strauss : *Tristes tropiques*, Teilhard de Chardin : *Le phénomène humain*, N. Sarraute : *L'ère du soupçon.*
P. Willems : *Of et la lune.*
Débuts du pop' art. Invention du cinérama. Création des Jazz Messengers.
Film : *Sourires d'une nuit d'été* (I. Bergman).

1958

Plaisir des parallèles. Essai sur un voyage. Paris, Stock.
Préface au *Roman d'un géologue* de Xavier De Reul (Bruxelles, Palais des Académies).
Membre correspondant de la Bayerischen Akademie der Schönen Künste.

France : Ve République (de Gaulle).
Insurrection algérienne.
Ch. Rochefort : *Le repos du guerrier*, M. Duras : *Moderato cantabile*, Fr. Mallet-Joris : *L'empire céleste.*
Traduction de *L'homme sans qualité* (R. Musil).
Poème électronique de E. Varese (pour le pavillon Philips de l'exposition internationale de Bruxelles), *Mobile* pour deux pianos de H. Pousseur.

1959

Comment naît une vocation littéraire. Bruxelles, Palais des Académies.

Fidel Castro maître de Cuba.
N. Sarraute : *Le planétarium.*
Traduction de *Lolita* (Nabokov), du *Labyrinthe de la solitude* (O. Paz).
P. Willems : *La plage aux anguilles.*
Exposition Pollock à Paris.
Films : *Hiroshima, mon amour* (A. Resnais), *Les 400 coups* (F. Truffaut), *Les cousins* (Cl. Chabrol), *A bout de souffle* (J.L. Godard).

1960

Grand Prix Quinquennal de Littérature française.

Mort de Camus.
Indépendance du Congo belge (Zaïre depuis 1971).
Cl. Simon : *La route des Flandres*, Cioran : *Histoire et utopie*.
Premier numéro de *Tel Quel*.
Rétrospective de Jean Dubuffet.

1961

Vie et mort d'un étang. Récit autobiographique. Frontispice de Jacques Ferrand. Bruxelles, Brépols.
Traduction des *Douze contes merveilleux de la Reine Fabiola* (Bruges, Desclée De Brouwer).

Mort de Hemingway, L.F. Céline, Blaise Cendrars.
Kennedy président des Etats-Unis.
Berlin coupé par le « mur ».
Premier vol spatial de Gagarine.
Ch. Bertin : *Journal d'un crime*, Th. Owen : *Pitié pour les ombres*, J. Sternberg : *La banlieue*.
Films : *L'année dernière à Marienbad* (Resnais), *West Side Story* (Wise et Robbins), *Viridiana* (Bunuel), *Cléo de cinq à sept* (Agnès Varda).

1962

Mort de Faulkner, de Ghelderode.
Indépendance de l'Algérie.
Début de la « révolution culturelle » en Chine.
M. McLuhan : *La galaxie Gutenberg*.
M. Frère : *Les jumeaux millénaires*, H. Juin : *La cimenterie*, R. Duesberg : *Les grenouilles*.
P. Willems : *Il pleut dans ma maison*.
New-York : « New Realists ».
Charitable à l'excès de R. Somville (M.B.A. Charleroi) et *La sieste* de G. Camus (M.B.A. Mons).

1963

Mort de A. Huxley, d'Edith Piaf.
Etats-Unis : assassinat du président Kennedy.
Le Clézio : *Le procès-verbal*.
Traduction d'*Une journée d'Ivan Denissovitch* (Soljenytsine) et de *Théorie du roman* (G. Lukacs).
S. Lilar : *Le couple*, L. Dubrau : *A la poursuite de Sandra*.
P. Willems : *Warna ou le poids de la neige*.

169

1964
Parabotanique, Anvers, Librairie des Arts.

Exposition Mathieu à Paris.
Film : *Les parapluies de Cherbourg* (J. Demy).

Mort de J. Ray.
Destitution de Khrouchtchev.
Sartre : *Les mots*, Violette Leduc : *La bâtarde*.
P. Willems : *Le marché des petites heures*.
Films : *L'évangile selon Saint Mathieu* (Pasolini), *Le bonheur* (Agnès Varda).

1965
Almanach perpétuel des fruits offerts aux signes du zodiaque, Anvers, Librairie des Arts.

Mort de Churchill, de la reine Elisabeth.
Intervention militaire des Etats-Unis au Viêt-nam.
Belgique : querelles linguistiques.
Ph. Sollers : *Drame*, G. Perec : *Les choses*, R.V. Pilhes : *La rhubarbe*.
D. Rolin : *La maison, la forêt*; J.G. Linze : *La conquête de Prague*.
Films : *Pierrot le fou* (J.L. Godard), *Guerre et paix* (Bondartchouk).

1966
Il fait Dimanche sur la mer! Choix de poèmes d'Emile Verhaeren établi et présenté par Marie Gevers. Anvers, Librairie des Arts.
Le monde des nuages et le monde des vagues et de la houle, Anvers, Templewood.
Le passage de Trésia, Bruxelles, La Revue générale.

Mort de A. Breton.
J. Thibaudeau : *Ouverture*.
Marie-Claire Blais : *Une saison dans la vie d'Emmanuel*, Edmonde-Ch. Roux : *Oublier Palerme*.
Ella Fitzgerald chante en Europe.
Film : *L'homme au crâne rasé* (A. Delvaux, Belg.)

1967
Souvenirs sur Max Elskamp, Bruxelles, Palais des Académies.

Mort de Marie Noël, Albertine Sarrazin, Carson McCullers.
M. Tournier : *Vendredi ou les limbes du Pacifique*, Cl. Etchelleri : *Elise ou la vraie vie*.
Traduction du *Livre alpha* (Ivo Michiels).
P. Willems : *La ville à voile*, Ch. Paron : *Les vagues peuvent mourir*.
P. Schaeffer : *La musique concrète*.
Messe pour le temps présent, ballet de M. Béjart, musique de P. Henry.
Films : *Vivre pour vivre* (Lelouch), *Accident* (Losey).

170

1968

Paravérités. Récits. Bruxelles, Sodi.

Intervention soviétique en Tchécoslovaquie.
France : crise sociale en mai-juin.
Greffe du cœur (Barnard).
Nuits de I. Xenakis, *Stimmung* de K. Stockhausen.
Film : *2001, l'odyssée de l'espace* (Kubrick).

1969-1971

Mort de A. Chavée, Fr. Mauriac, G. Ungaretti, J. Dos Passos, Nelly Sachs, Adamov, Crommelynck.
Les Américains sur la lune. La Chine populaire à l'O.N.U.
Prix Nobel de littérature à A. Soljénitsyne.
F. Marceau : *Creezy*, P.J. Remy : *Le sac du palais d'été*, J.P. Sartre : *L'idiot de la famille.*
Traduction du *Mystérieux Mandala* de Patrick White et de *La trappe* de Ana Maria Matute.
G. Prévot : *Le démon de février*, M. Moreau : *Julie ou la dissolution*, P. Mertens : *La fête des anciens.*
P. Willems : *Le soleil sur la mer.*
Films : *Le Satyricon* (Fellini), *Adalen 31* (Widerberg), *Rendez-vous à Bray* (A. Delvaux, Belg.), *Paix sur les champs* d'après le roman de Marie Gevers (J. Boigelot, Belg.)

1972-1973

« Elle ne pouvait plus lire l'aiguille trotteuse de sa montre et elle cuisait attentivement son œuf à la coque. Elle avait trouvé le « minutage » idéal en choisissant dans sa mémoire une fable de La Fontaine. C'était *Le meunier, son fils et l'âne.* « J'ai cherché parmi toutes les fables que je pouvais réciter par cœur. Celle-ci était la bonne »... (G. Sion).

Mort de Dino Buzzati, Montherlant, F. Hellens, Picasso.
Cessez-le-feu au Viêt-nam. Crise du pétrole.
M. Roche : *Circus*, J. Carrière : *L'épervier de Maheux*, F. Tristan : *Le singe égal du ciel*, J. Chessex : *L'ogre*, J.L. Benoziglio : *Le midship*, P. Grainville : *La lisière*, B. Noël : *Les premiers mots.*
H. Bauchau : *Le régiment noir*, Bosquet de Thoran : *Le songe de Constantin*, H. Nyssen : *Le nom de l'arbre*, J. Schneider : *Le dieu aveugle.*

171

Exposition des symbolistes et surréalistes belges au Grand Palais (Paris).
Films : *Le dernier tango à Paris* (Bertolucci), *Fritz le chat* (Bakshi).

1974

Réédition de *Vie et mort d'un étang* précédé de *Madame Orpha* (Bruxelles, Jacques Antoine, Présentation de Georges Sion).

Récession économique. Révolution portugaise.
Aragon : *Théâtre/Roman,* P. Lainé : *La dentellière.*
Traduction de *L'archipel du Goulag* de Soljenitsyne.
M. Yourcenar : *Souvenirs pieux.*
M.L. Haumont : *Comme ou la journée de Mme Pline.*
P. Willems : *Les miroirs d'Ostende.*
Films : *Lancelot du Lac* (R. Bresson), *Lacombe Lucien* (L. Malle).

1975

Le 9 mars : mort de Marie Gevers.

1976

Réédition de *Paix sur les Champs* (Bruxelles, Jacques Antoine, Collection Passé Présent, Présentation de Jean Muno).

1978

Réédition de *Plaisir des Météores ou Le Livre des douze mois* (Bruxelles, Jacque Antoine, Collection Passé Présent, Présentation de Lucienne Desnoues.

1979

Réédition de *Vie et mort d'un étang* (Bruxelles, Jacques Antoine, Collection Passé Présent, Présentation de Georges Sion).

1983

Réédition de *La comtesse des digues* (Bruxelles, Editons Labor, Présentation de Jacques Sojcher, coll. Espace Nord).

Réédition de *La ligne de vie* (Bruxelles, Jacques Antoine, Présentation de Cynthia Skenazi, coll. Passé Présent)

A consulter :

M.G., n° spécial, La Nervie, 5, 1932, 28 p.

Ravez (W), *Femmes de lettres belges,* Bruxelles, Les éditions de Belgique, 1939, p. 53 à 67.

Niedermayer (O.), *Coutumes et superstitions dans l'œuvre de M.G.* Thèse de doctorat. Munich, Univ. Ludwig-Maximilian, 1956, 80 p. (Texte dactyl. à l'Académie royale de langue et de littérature françaises et à la Bibliothèque communale d'Anvers).

Jans (A), *M.G.* (Collection « Portraits », n° 4). Bruxelles, Pierre De Méyère, 1964, 82 p.

Scheinert (D), *Ecrivains belges devant la réalité,* Bruxelles, La Renaissance du Livre, 1964, p. 125 à 139.

Gevers (M), *Guldentop, histoire d'un fantôme,* présenté avec une introduction et une bibliographie par Joz. Collin, Oudenaarde, Sanderus (Collection « Classiques et modernes », n° 19), 1965.

Gijsen (M.), *M.G.* (Coll. « Ontmoetingen », n° 79). Brugge, Desclée de Brouwer, 1969, 37 p.

Skenazi (C), *Marie Gevers et la nature,* Bruxelles, Palais des Académies, 1983.

COLLECTION PASSÉ PRÉSENT

COLLECTION ÉCRITS DU NORD

Ce huitième volume de la collection Passé Présent
a été achevé d'imprimer
en septembre mil neuf cent quatre-vingt-six
sur les presses de
Édition & Imprimerie à Bruxelles
pour le compte de la
S.P.R.L. Société de Commercialisation des
Éditions Jacques Antoine
à Bruxelles

TROISIÈME ÉDITION

N° édit. 1149/63   3e trimestre 1986